TUDO O QUE VOCÊ PRECISA SABER SOBRE

FILOSOFIA

DE **PLATÃO** E **SÓCRATES**, DE **ÉTICA** E **METAFÍSICA** ATÉ AS **IDEIAS** QUE AINDA **TRANSFORMAM** O **MUNDO**, O **LIVRO ESSENCIAL** SOBRE O **PENSAMENTO HUMANO**

CB038762

PAUL KLEINMAN

TUDO O QUE VOCÊ PRECISA SABER SOBRE

FILOSOFIA

DE **PLATÃO** E **SÓCRATES**, DE **ÉTICA** E **METAFÍSICA** ATÉ AS **IDEIAS** QUE AINDA **TRANSFORMAM** O **MUNDO**, O **LIVRO ESSENCIAL** SOBRE O **PENSAMENTO HUMANO**

TRADUÇÃO: CRISTINA SANT'ANNA

Gerente Editorial
Marília Chaves

Assistente Editorial
Carolina Pereira da Rocha

Produtora Editorial
Rosângela de Araujo Pinheiro Barbosa

Controle de Produção
Fábio Esteves

Tradução
Cristina Sant'Anna

Preparação
Entrelinhas Editorial

Diagramação
Senshō Editoração

Revisão
Vero Verbo Serviços Editoriais

Ilustrações de Miolo
Eric Andrews

Capa
Jessica Faria

Adaptação de Capa
Esper Leon

Imagem de Capa
Jupiter Corporation e 123rf.com

Impressão
Rettec

Título original: *Philosophy 101*

Copyright © 2013 by F+W Media, Inc.
Publicado por acordo com Adams Media, An F+W Media, Inc. Company, 57 Littlefield Street, Avon, MA 02322, USA.

Todos os direitos desta edição são reservados à Editora Gente.

Rua Natingui, 379 - Vila Madalena
São Paulo, SP – CEP 05443-000
Telefone: (11) 3670-2500
Site: http://www.editoragente.com.br
E-mail: gente@editoragente.com.br

Dados Internacionais de Catalogação na Publicação (CIP)
(Câmara Brasileira do Livro, SP, Brasil)

Kleinman, Paul
Tudo que você precisa saber sobre filosofia: de Platão e Sócrates até a ética e metafísica, o livro essencial sobre o pensamento humano / Paul Kleinman; tradução Cristina Sant'Anna. - São Paulo: Editora Gente, 2014.

Título original: Philosophy 101
ISBN 978-85-7312-972-4

1. Filosofia - Introdução I. Título.

14-06280 CDD-100

Índice para catálogo sistemático:

1. Filosofia 100

SUMARIO

INTRODUÇÃO

O que é a filosofia?

A própria pergunta já soa filosófica, não é? Entretanto, o que isso quer dizer exatamente? O que é a filosofia?

A palavra *filosofia* significa "amor à sabedoria". De fato, é o amor à sabedoria que leva os filósofos a explorar as questões fundamentais sobre quem somos nós e por que estamos aqui. Na superfície, a filosofia é uma ciência social. Contudo, à medida que você for lendo este livro, vai descobrir que é muito mais do que isso. A filosofia abrange qualquer assunto em que for capaz de pensar. Não é apenas um bando de gregos velhos perguntando uns aos outros as mesmas questões (embora, claro, haja uma boa parte disso). A filosofia tem aplicações bem concretas; das questões éticas nas políticas governamentais às fórmulas lógicas utilizadas na programação de computadores, tudo tem suas raízes na filosofia.

Com a filosofia, somos capazes de explorar conceitos como o significado da vida, conhecimento, moralidade, realidade, a existência de Deus, consciência, política, religião, economia, arte ou linguística — a filosofia não tem fronteiras!

De maneira bastante ampla, existem seis grandes temas abordados pela filosofia:

1. **Metafísica:** o estudo do universo e da realidade.
2. **Lógica:** como criar um argumento válido.
3. **Epistemologia:** o estudo do conhecimento e de como o adquirimos.
4. **Estética:** o estudo da arte e da beleza.
5. **Política:** o estudo dos direitos políticos, do governo e o papel dos cidadãos.
6. **Ética:** o estudo da moralidade e de como cada um deve viver.

Se alguma vez você já pensou: "Ah, *filosofia,* nunca serei capaz de entender essa coisa", não tema este livro. Este é o curso intensivo de filosofia que você sempre quis. Finalmente, poderá abrir a mente sem ter de sofrer antes.

Bem-vindo ao *Tudo que você precisa saber sobre filosofia.*

PRÉ-SOCRÁTICOS

As origens da filosofia ocidental

As raízes da filosofia ocidental estão no trabalho dos filósofos gregos durante os séculos V e VI. Esses filósofos, chamados de pré-socráticos, começaram a questionar o mundo em torno deles. Em vez de atribuir o que os cercava aos deuses gregos, eles buscaram explicações mais racionais que pudessem explicar o mundo, o universo e a existência.

Era a filosofia da natureza. Os filósofos pré-socráticos questionavam de onde veio tudo, a partir de que tudo foi criado, como a natureza podia ser descrita matematicamente e como alguém poderia explicar a pluralidade da natureza. Eles buscavam encontrar um princípio fundamental, conhecido como arqué, que seria o material básico do universo. Como tudo no universo muda ou não permanece no mesmo exato estado, os filósofos pré-socráticos determinaram que deviam existir princípios de mudança contidos na arqué.

O QUE SIGNIFICA PRÉ-SOCRÁTICO?

O termo *pré-socrático* quer dizer "antes de Sócrates" e foi popularizado em 1903 pelo estudioso alemão Hermann Diels. Na verdade, Sócrates foi contemporâneo dos filósofos pré-socráticos e, assim, o termo não significa que os pré-socráticos viveram antes dele. Em vez disso, a expressão *pré-socrático* refere-se às diferenças na ideologia e nos princípios. Embora muitos filósofos pré-socráticos tenham produzido textos, nenhum foi preservado integralmente e a maior parte do que sabemos sobre eles baseia-se em fragmentos e nas citações posteriores de historiadores e filósofos — que, em geral, são tendenciosas.

AS ESCOLAS PRÉ-SOCRÁTICAS MAIS IMPORTANTES

Escola de Mileto

Os primeiros filósofos pré-socráticos viveram na cidade de Mileto, próxima à costa da Anatólia (na moderna Turquia). De lá surgiram três importantes filósofos pré-socráticos: Tales, Anaximandro e Anaxímenes.

Tales

Um dos filósofos pré-socráticos mais importantes, Tales (624-546 a.C.) proclamava que a arqué — ou o elemento original — era a água. Ele determinou que a água podia passar por mudanças como a evaporação e a condensação e, dessa forma, tornava-se gasosa ou sólida. Ele sabia que a água era responsável pela hidratação e pela alimentação humanas e acreditava que a terra flutuava sobre ela.

Anaximandro

Depois de Tales, o próximo grande filósofo vindo de Mileto é Anaximandro (610-546 a.C.). Ao contrário de Tales, ele dizia que o elemento original era, na verdade, uma substância indefinida e ilimitada, denominada *ápeiron*. Era a partir disso que os opostos como o seco e o molhado, e o frio e o quente, separavam-se um do outro. Anaximandro é o primeiro filósofo que conhecemos que deixou trabalhos escritos.

Anaxímenes

O último grande filósofo pré-socrático da Escola de Mileto foi Anaxímenes (585-528 a.C.). Ele acreditava que o único elemento era o ar. De acordo com Anaxímenes, o ar está em toda parte e tem a capacidade de passar por processos e transformar-se em outra coisa, como água, nuvens, vento, fogo e até mesmo a terra.

Escola pitagórica

O filósofo e matemático Pitágoras (570-497 a.C.), talvez mais famoso por causa do teorema que leva seu nome, acreditava que a base de toda a realidade estava nas relações matemáticas, que governavam o mundo. Para Pitágoras, os números eram sagrados e, com o uso da matemática, tudo podia ser medido e previsto. O impacto e a imagem de Pitágoras foram impressionantes. Sua escola era cultuada e seus seguidores obedeciam cada palavra que ele emitia... até mesmo algumas regras estranhas que cobriam todas as áreas, desde o que comer e o que não comer, como se vestir e até mesmo como urinar. Pitágoras filosofou em muitos campos e seus alunos acreditavam que seus ensinamentos eram profecias dos deuses.

Escola de Éfeso

A escola de Éfeso baseava-se no trabalho de um homem, Heráclito de Éfeso (535-475 a.C.), que acreditava que tudo na natureza está em mudança constante ou em estado de fluxo. Talvez ele seja mais famoso por sua noção de que nenhum homem é capaz de entrar no mesmo rio por duas vezes. Heráclito acreditava que o elemento original era o fogo e que, portanto, tudo derivava dele.

Escola eleática

A escola eleática ficava em Cólofon, uma cidade antiga não muito distante de Mileto. Dessa região, vieram quatro importantes filósofos pré-socráticos: Xenófanes, Parmênides, Zenão e Melisso.

Xenófanes de Cólofon

Xenófanes (570-475 a.C.) é conhecido por sua crítica à religião e à mitologia. Particularmente, ele atacava a ideia de que os deuses eram antropomórficos (ou seja, assumiam a forma humana). Xenófanes acreditava que havia um só deus e que, embora não pudesse se mover fisicamente, tinha a habilidade de ouvir, ver, pensar e controlar o mundo com seus pensamentos.

Parmênides de Eleia

Parmênides (510-440 a.C.) acreditava que a realidade não tinha nada a ver com o mundo vivenciado por alguém e que somente pela razão, não pelos sentidos, era possível chegar à verdade. Parmênides concluiu que o trabalho dos primeiros filósofos de Mileto não era apenas ininteligível, mas partia de questões equivocadas. Para Parmênides, não havia sentido em discutir o que é e o que não é. Para ele, o único ponto inteligível a debater, e a única verdade, é o que é (o que existe).

Parmênides teve um impacto inacreditável sobre Platão e toda a filosofia ocidental. O trabalho dele tornou a escola de Eleia o primeiro movimento a utilizar a razão pura como o único critério para encontrar a verdade.

Zenão de Eleia

Zenão de Eleia (490-430 a.C.) foi o aluno mais famoso de Parmênides (e possivelmente seu amante) e que dedicou seu tempo à criação de argumentos (conhecidos como paradoxos) para defender as ideias de seu mestre. No mais relevante paradoxo de Zenão, o do movimento, ele tenta demonstrar que o pluralismo ontológico — a ideia de que muitas coisas existem por oposição à outra — pode realmente levar a conclusões absurdas. Parmênides e Zenão acreditavam que a realidade existia como um todo único e que as noções de pluralidade e movimento não passavam de ilusões. Embora o trabalho de Zenão tenha sido refutado mais tarde, seus paradoxos ainda levantam questões importantes, desafios e servem de inspiração para filósofos, físicos e matemáticos.

Melisso de Samos

Melisso de Samos, que viveu por volta de 440 a.C., foi o último filósofo da escola eleática. Ele deu continuidade às ideias de Parmênides e Zenão. Melisso de Samos distinguiu *ser* e *parecer*. Quando algo é X, de acordo com Melisso de Samos, tem sempre que ser X (e nunca não ser X). Dessa forma, segundo essa noção, quando algo é frio nunca pode deixar de ser frio. Como, porém, não é esse o caso, e as propriedades não se mantêm indefinidamente, nada (exceto na realidade de Parmênides, que é uma coisa contínua e imutável) é na verdade; em vez disso, tudo *parece*.

Escola atomista

A escola atomista, iniciada por Leucipo no século V a.C. e levada adiante por seu aluno Demócrito (460-370 a.C.), propunha que todo objeto físico é feito por átomos e vácuo (espaço vazio em que os átomos se movem), que se organizavam em diferentes formas. Essa ideia não está muito distante do conceito de átomo atual. Essa escola acreditava que os átomos eram partículas extremamente pequenas (tão diminutas que não podiam ser cortadas ao meio) com diferentes tamanhos, formas, movimentos, arranjos e posições e que, quando colocados juntos, criavam tudo o que está no mundo visível.

SÓCRATES (469-399 A.C.)

A virada do jogo

Sócrates nasceu em Atenas, na Grécia, por volta de 469 a.C. e morreu em 399 a.C. Enquanto os filósofos pré-socráticos examinavam o mundo natural, ele enfatizou a experiência humana, concentrando-se na moralidade individual, questionando o que faz uma vida boa e discutindo aspectos sociais e políticos. Seu trabalho e suas ideias tornaram-se a fundação da filosofia ocidental. Embora Sócrates seja considerado um dos homens mais inteligentes que já existiram, nunca escreveu nenhum de seus pensamentos e o que sabemos sobre ele é baseado no trabalho de seus alunos e de seus contemporâneos (principalmente, os trabalhos de Platão, Xenofonte e Aristófanes).

Como os relatos de terceiros (que, com frequência, inventam histórias) diferem entre si, de fato, não sabemos muito sobre os ensinamentos de Sócrates. Isso é conhecido como o "problema socrático". Dos textos de terceiros, conseguimos reunir algumas informações. Ele era filho de um pedreiro e de uma parteira; teve uma formação educacional básica grega; não tinha uma aparência física muito bonita (em uma época em que a beleza exterior era muito importante); serviu o exército durante a guerra do Peloponeso; teve três filhos com uma mulher bem mais jovem do que ele e vivia na pobreza. Sócrates deve ter sido pedreiro antes de se dedicar à filosofia.

O único detalhe, porém, que está muito bem documentado é a morte de Sócrates. Enquanto ainda estava vivo, o estado de Atenas começou a declinar. Depois de perder humilhantemente a guerra do Peloponeso para Esparta, os atenienses tiveram uma crise de identidade, tornando-se fixados na beleza física, em ideias de saúde e bem-estar e na idealização do passado. Como Sócrates era um crítico aberto desse estilo de vida, cultivou muitos inimigos. Em 399 a.C., Sócrates foi preso e conduzido a julgamento sob a acusação de não ser religioso e de corromper os jovens da cidade. Ele foi considerado culpado e sentenciado à pena de morte por envenenamento. Em vez de se retirar em exílio (o que podia fazer), Sócrates tomou o copo de cicuta sem nenhuma hesitação.

A CONTRIBUIÇÃO DE SÓCRATES PARA A FILOSOFIA

Uma frase sempre atribuída a Sócrates é: "Uma vida sem reflexão não vale a pena ser vivida". Ele acreditava que, para se tornar sábio, o indivíduo deve ser capaz de compreender a si mesmo. Para Sócrates, as ações de uma pessoa estavam diretamente relacionadas à sua inteligência e à sua ignorância. Ele propunha que as pessoas desenvolvessem o ego em vez de concentrar-se nos objetos materiais e procurava entender a diferença entre *agir bem* e *ser bom*. Foi por causa dessa sua maneira nova e exclusiva de abordar o conhecimento, a consciência e a moralidade que Sócrates mudou para sempre a filosofia.

O método socrático

Talvez Sócrates seja mais famoso por causa de seu método. Pela primeira vez descrito por Platão nos *Diálogos socráticos*, Sócrates e um aluno tinham uma discussão sobre um tema em particular e o mestre fazia uma série de perguntas para descobrir a força condutora por trás da formação das crenças e dos sentimentos da outra pessoa. Assim, ele se aproximava da verdade. Ao fazer continuamente esses questionamentos, era capaz de expor as contradições na forma de pensar do indivíduo e assim chegava a conclusões mais sólidas.

Sócrates utilizava o *elenchus*,[1] o método pelo qual refutava as afirmações da outra pessoa com as seguintes etapas:

1. Um indivíduo faz uma afirmação para Sócrates, que tenta refutá-la. Ou Sócrates pode fazer uma pergunta para a outra pessoa como: "O que é a coragem?".
2. Assim que obtém a resposta, Sócrates pensa em um cenário em que a resposta não funciona e pede que o interlocutor assuma que sua afirmação original era falsa. Por exemplo, se a outra pessoa descreveu coragem como "a resistência da alma", Sócrates pode refutar dizendo que "a coragem é algo positivo", enquanto "a resistência ignorante não é positiva".
3. A outra pessoa concorda com esse argumento e Sócrates, então, muda a afirmação para incluir a exceção à regra.
4. Sócrates prova que a afirmação do indivíduo é falsa e que a negação é, de fato, verdade. Como a outra pessoa continua a alterar suas respostas, Sócrates segue refutando e, dessa maneira, as respostas do indivíduo aproximam-se mais da verdade real.

O método socrático hoje

O método socrático ainda é bastante utilizado hoje, principalmente nas faculdades de direito dos Estados Unidos. Primeiro, pede-se ao aluno que resuma o

---

1 ***Elenchus* socrático** — uma proposição aceita pelo interlocutor é testada diante do conjunto de suas crenças com o objetivo de verificar a consistência do todo. Fazendo perguntas, Sócrates buscava determinar se a primeira afirmação de seu interlocutor era consistente ou inconsistente com as posteriores. Também pode-se falar em contraprova ou refutação lógica. (N.T.)

argumento de um juiz. Em seguida, pergunta-se a ele se concorda com aquele argumento. O professor, então, atua como "advogado do diabo", levantando uma série de questões para fazer com que o estudante defenda sua decisão.

Ao aplicar o método socrático, os estudantes de direito podem começar a pensar criticamente, usando a lógica e a razão para criar seus argumentos e também procurar e identificar as falhas em seus posicionamentos.

PLATÃO (429-347 A.C.)

Um dos fundadores da filosofia ocidental

Platão nasceu em Atenas, por volta de 429 a.C. em uma família da aristocracia grega. Por causa de sua classe social, foi educado por professores renomados. No entanto, nenhum pensador teve maior impacto sobre ele do que Sócrates, por causa de sua habilidade de debater e produzir diálogos. De fato, os trabalhos escritos de Platão são a fonte de informações da maior parte do que sabemos sobre Sócrates.

Embora sua família esperasse que seguisse a carreira política, dois eventos levaram Platão a se afastar desse modo de vida: a guerra do Peloponeso (na qual, após a vitória de Esparta, muitos parentes de Platão que integravam a ditadura foram afastados por corrupção) e a execução de Sócrates em 399 a.C. pelo novo governo ateniense.

Platão, então, voltou-se para a filosofia e começou a escrever e viajar. Na Sicília, estudou com Pitágoras e, quando retornou a Atenas, fundou a Academia, uma escola onde ele e outros indivíduos com pensamento semelhante ensinavam e discutiam filosofia e matemática. Entre seus alunos, estava Aristóteles.

A FILOSOFIA DE PLATÃO EM DIÁLOGOS ESCRITOS

Como Sócrates, Platão acreditava que a filosofia era um processo de contínuo questionamento e diálogo e seus trabalhos foram redigidos nesse formato.

Existem dois pontos muito interessantes nos diálogos escritos por Platão: ele nunca afirmava explicitamente a própria opinião sobre os diversos assuntos (embora com uma pesquisa aprofundada seja possível inferir suas posições) e nunca se colocou como um dos participantes das conversas. Platão queria que os leitores desenvolvessem a capacidade de formar a própria opinião sobre o assunto, não que aprendessem como se posicionar (isso também demonstra quão habilidoso Platão era como escritor). Por isso, muitos de seus diálogos não chegam a uma conclusão concisa. Aqueles que apresentam uma conclusão, no entanto, mantêm-se abertos a possíveis contra-argumentos e dúvidas.

Os diálogos de Platão abordam uma variedade de assuntos, que incluem temas como arte, teatro, ética, imortalidade, a mente e a metafísica.

São 36 diálogos escritos por Platão, além de treze cartas (cuja autenticidade é discutida pelos historiadores).

A TEORIA DAS FORMAS

Um dos conceitos mais importantes desenvolvidos por Platão é a Teoria das Formas, na qual afirma que a realidade existe em dois níveis específicos:

1. o mundo visível, que é feito de imagens e sons;
2. o mundo inteligível (o mundo das Formas), que dá sentido e existência ao mundo visível.

Por exemplo, quando alguém vê um belo quadro, a pessoa tem a habilidade de identificar essa beleza porque tem um conceito abstrato do que é a beleza. Dessa maneira, as coisas belas são vistas como belas porque fazem parte da Forma da Beleza. Enquanto os objetos no mundo visível podem mudar e perder sua beleza, a Forma da Beleza é eterna, imutável e não pode ser vista.

Platão considerava que conceitos como beleza, coragem, bondade, temperança e justiça existiam em um mundo das Formas integral, fora do tempo e do espaço, não afetado pelo mundo visível.

Apesar de a ideia das Formas estar em muitos diálogos de Platão, o conceito difere de texto para texto e, por vezes, essas diferenças não são completamente explicadas. Com a Teoria das Formas, Platão incorporou o pensamento abstrato como meio para desenvolver um grande conhecimento.

A TEORIA DA ALMA TRIPARTITE

Em *A República* e em outro diálogo bastante conhecido, *Fédon*, Platão discute sua compreensão da racionalidade e da alma. De acordo com ele, a alma pode ser dividida em três partes: razão, espírito e apetite.

1. **Razão:** essa é a parte da alma responsável pelo pensamento e pela compreensão de quando algo é verdadeiro ou falso, real ou não visível e que toma as decisões racionais.
2. **Espírito:** essa é a parte da alma responsável por todos os desejos e a que quer vitória e honra. Se o indivíduo tem a alma justa, o espírito reforça a razão e, então, a razão lidera. A frustração do espírito leva aos sentimentos de raiva e de estar sendo maltratado.
3. **Apetite:** essa é a parte da alma de onde vêm todas as ânsias e os desejos mais básicos. Por exemplo, as sensações de sede e fome são encontradas nessa parte

da alma. Contudo, o apetite também tem urgências desnecessárias ou ilegítimas, como a gula e os excessos sexuais.

Para explicar essas diferentes partes da alma, Platão inspirou-se, em primeiro lugar, em três classes de uma sociedade justa: o Guardião, o Assistente e o Trabalhador. Segundo ele, a razão deve determinar as decisões de uma pessoa; o espírito deve ajudar a razão e o apetite deve obedecer. Ao manter a relação das três partes em equilíbrio, a pessoa chegará à justiça individual.

De maneira semelhante, Platão acreditava que, em uma sociedade perfeita, a razão deveria ser representada por uma classe de Guardiões (legisladores que liderariam com base na filosofia e os quais os cidadãos seguiriam sinceramente); o espírito seria representado pela classe dos Assistentes (soldados que forçariam o resto da sociedade a obedecer aos Guardiões) e o apetite seria representado pelos Trabalhadores, os produtores e os comerciantes da sociedade.

A IMPORTÂNCIA DA EDUCAÇÃO

Platão dava grande ênfase ao papel da educação e a considerava um dos elementos mais importantes para a criação de um estado saudável. Ele via a vulnerabilidade da mente infantil e entendia que o pensamento das crianças podia ser facilmente moldado. Acreditava que desde cedo lhes devia ser ensinado a sempre buscar a sabedoria e a viver de maneira virtuosa. Platão foi mais longe: deixou instruções detalhadas de que exercícios uma mulher grávida deve fazer para ter um feto saudável e de que tipo de arte e brincadeiras devem ser feitas com as crianças. Para ele, que achava o povo ateniense corrupto, facilmente seduzível e crédulo na retórica, a educação era essencial para formar uma sociedade justa.

A CAVERNA DE PLATÃO

Conhecimento *versus* sentidos

Em um de seus textos mais conhecidos, *A República*, Platão mostra como a percepção humana existe sem que ninguém perceba as Formas e como o verdadeiro conhecimento só é conquistado pela filosofia. Qualquer conhecimento obtido com os sentidos não é conhecimento, mas simplesmente uma opinião.

A Caverna de Platão

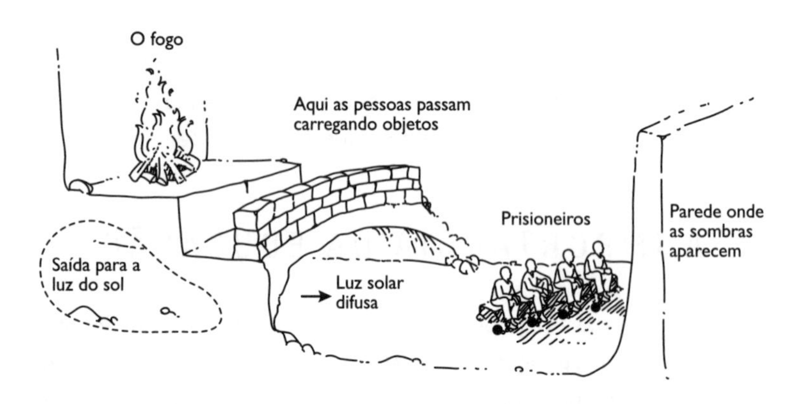

O MITO DA CAVERNA

O Mito da Caverna é uma conversa entre Sócrates e o irmão de Platão, Glauco. No diálogo, Sócrates pede a Glauco que imagine um mundo em que uma ilusão seja percebida como realidade. Para apresentar sua questão, ele criou o seguinte exemplo.

Havia uma caverna onde um grupo de pessoas foi feito prisioneiro desde que estas nasceram. Esses prisioneiros não podiam se mover. O pescoço e os joelhos estavam acorrentados e, portanto, não podiam girar a cabeça nem virar o corpo; só enxergavam o que estava diante deles: uma parede de pedra. Atrás e acima dos prisioneiros havia uma fogueira e entre o fogo e os prisioneiros havia um muro baixo por onde outras pessoas passavam carregando objetos na cabeça. A luz do fogo projeta sombras dos objetos em movimento na parede em frente aos prisioneiros. Essas sombras são tudo o que eles podem ver. O único som que escutam são os ecos na caverna.

Bem, como os prisioneiros nunca foram expostos aos objetos reais e durante toda a vida só conheceram aquelas sombras, eles confundem as sombras com a realidade. Para eles, os ecos na caverna são barulhos emitidos pelas sombras. Se aparecesse a sombra de um livro, por exemplo, esses prisioneiros afirmariam que haviam visto um livro. Não diriam que tinham visto a sombra de um livro porque não conhecem as sombras. Finalmente, um dos prisioneiros compreendeu a natureza daquele mundo e se tornou capaz de adivinhar qual seria a próxima sombra, o que lhe rendeu elogios e o reconhecimento dos outros.

Agora, vamos supor que um dos prisioneiros seja libertado. Se alguém mostrar a ele um livro de verdade, o prisioneiro não será capaz de reconhecê-lo. Para ele, um livro é uma sombra projetada na parede de pedra. A ilusão de um livro parece mais real do que o livro em si mesmo.

Sócrates continuou ponderando sobre o que aconteceria se esse prisioneiro libertado fosse na direção do fogo. Certamente, ele se viraria por causa do excesso de luz e voltaria para o escuro das sombras, que lhe parecem mais reais. E, então, o que ocorreria se o prisioneiro fosse forçado a sair da caverna? Ele ficaria raivoso, estressado e seria incapaz de ver a realidade diante dele porque ficaria cego pela luz do sol.

O Mito da Caverna de Platão na cultura popular

Caso essa história lhe pareça vagamente familiar é porque você já ouviu alguma variação dela antes. O filme *Matrix*, que fez muito sucesso em 1999, era baseado no Mito da Caverna de Platão. Para citar Neo, personagem de Keanu Reeves: "Uau!".

Depois de um instante, porém, sua visão se ajustaria e o prisioneiro compreenderia que a realidade dentro da caverna estava errada. Olharia para o Sol e entenderia que aquela entidade era o que criava as estações do ano, os anos e tudo que era visível no mundo (e, até certo ponto, também era a causa do que ele e seus companheiros viam na caverna). Ele não sentiria aqueles dias vividos dentro da caverna como uma boa lembrança, pois agora compreendia que suas percepções antigas não eram de fato a realidade. O prisioneiro libertado, então, decide retornar à caverna e soltar os outros. Quando volta, tem de lutar para se adaptar novamente à escuridão do lugar. Os outros prisioneiros estranham seu comportamento (a escuridão da caverna ainda é a única realidade deles) e, em vez de lhe fazer elogios, acham-no estúpido e não acreditam no que tem para lhes contar. Os prisioneiros ameaçam matá-lo, caso tente libertá-los também.

O QUE ISSO SIGNIFICA

Platão compara os prisioneiros acorrentados dentro da caverna às pessoas que desconhecem a Teoria das Formas. Elas confundem a aparência do que está diante de si com a realidade e vivem na ignorância (e bem satisfeitas porque a ignorância é tudo o que conhecem). No entanto, quando partes da verdade começam a aparecer, a situação pode ser assustadora e as pessoas desejam retornar. Quando alguém não recua e insiste em buscar a verdade, compreende melhor o mundo ao seu redor (e jamais será capaz de retornar ao estado de ignorância). O prisioneiro libertado representa o filósofo, que busca uma verdade maior fora da realidade percebida.

Segundo Platão, quando as pessoas utilizam a linguagem, elas não estão nomeando os objetos físicos que veem, mas algo que não conseguem ver. Esses nomes se relacionam a coisas que só podem ser apreendidas pela mente. O prisioneiro acreditava que a sombra de um livro era de fato um livro até que, finalmente, foi capaz de se virar e ver a verdade. Agora, substitua a ideia do livro por algo mais substancial, como a noção de justiça. A Teoria das Formas de Platão é o que possibilita que a pessoa se vire e descubra a verdade. Em essência, o conhecimento adquirido pelos sentidos e pelas percepções não é um conhecimento real, mas uma opinião. É somente pelo raciocínio filosófico que alguém pode ser capaz de adquirir conhecimento.

EXISTENCIALISMO

A experiência humana e individual

O existencialismo não é uma escola de pensamento, mas uma tendência surgida na área da filosofia durante os séculos XIX e XX. Antes disso, o pensamento filosófico desenvolvia-se e tornava-se cada vez mais complexo e abstrato. Contudo, ao lidar com ideias como natureza e verdade, os filósofos estavam excluindo a importância dos seres humanos.

Entretanto, começando por Søren Kierkegaard e Friedrich Nietzsche no século XIX, vários filósofos surgiram trazendo à tona um novo foco na experiência humana. Apesar das diferenças significativas entre os filósofos existencialistas (um termo que não foi utilizado até o século XX), o tema comum entre todos eles é a noção de que a filosofia deve se concentrar na experiência da existência humana neste mundo. Em outras palavras, o existencialismo busca o significado da vida e o encontro consigo mesmo.

TEMAS COMUNS DO EXISTENCIALISMO

Embora as ideias existencialistas variem de filósofo para filósofo, existem diversos temas comuns entre eles. Um conceito-chave do existencialismo é o de que o significado da vida e a descoberta de si mesmo só podem ser atingidos por vontade própria, responsabilidade pessoal e escolha.

O Indivíduo

O existencialismo lida com o significado da existência na condição de ser humano. Para os existencialistas, os humanos foram jogados neste universo e dessa maneira têm existido neste mundo — não a consciência, que é a realidade em última instância. Uma pessoa é um indivíduo com a habilidade de pensar e agir de modo independente e deve ser definido por sua vida real. É pela própria consciência individual que os valores e o propósito são determinados.

Escolha

Os filósofos existencialistas acreditam que todos os humanos têm livre-arbítrio, o que lhes possibilita fazer escolhas de vida. As estruturas e os valores da sociedade não têm controle sobre a pessoa. As escolhas são exclusivas de cada indivíduo com base nas próprias perspectivas, crenças e experiências, não em forças externas ou na sociedade. Pelas escolhas, as pessoas começam a descobrir quem e o que são. Não há propósito em desejos como riqueza, honra e prazer, pois nada disso é responsável por uma boa vida.

A noção de responsabilidade pessoal é uma componente-chave do existencialismo. A tomada de decisões é inteiramente de responsabilidade do próprio indivíduo — e essas decisões não são isentas de consequências e desgastes inerentes. Contudo, é nos momentos em que a pessoa luta contra a sua própria natureza intrínseca que ela oferece o seu melhor. Em essência, todas as escolhas que fazemos na vida determinam nossa natureza, e existem coisas neste mundo que são sobrenaturais e irracionais.

Ansiedade

Os existencialistas dão grande ênfase aos momentos em que as verdades sobre nossa existência e natureza nos trazem uma nova consciência sobre o que a vida significa. Esses momentos existenciais de crise produzem mais tarde sentimentos de ansiedade, angústia e temor e são resultado da liberdade e da responsabilidade independente que todos nós temos.

Como os humanos foram jogados neste universo, há certa falta de significado em nossa existência. Nossa liberdade quer dizer que há incerteza em nosso futuro e que nossa vida é determinada pelas escolhas que fazemos. Acreditamos compreender o universo ao nosso redor e, quando descobrimos algo que nos diz o contrário, experimentamos uma crise existencial que nos força a reavaliar diversos aspectos da vida. A única maneira de ter sentido e valor é fazer escolhas e assumir a responsabilidade.

Autenticidade

Para ser autêntico, o indivíduo tem de estar realmente em harmonia com sua liberdade. No existencialismo, a noção de autenticidade significa chegar a um acordo consigo mesmo e, então, viver segundo isso. A pessoa deve ser capaz de chegar a um acordo com sua identidade, enquanto impede que seus antecedentes e história tomem parte no seu processo de decisões. As escolhas precisam ser feitas com base nos valores da pessoa, assim, a responsabilidade deriva do processo decisório.

Quando a pessoa não vive em equilíbrio com sua liberdade, ela não é autêntica. É na experiência de inautenticidade que se abre espaço para o determinismo, acreditando que as escolhas são sem sentido e agindo pelo "eu deveria" para persuadir as próprias escolhas.

O Absurdo

O Absurdo é uma das noções mais famosas associadas ao existencialismo. O argumento mais utilizado no existencialismo é o de que não há razão para existir e a natureza não tem objetivo. Embora a ciência e a metafísica possam ser capazes de oferecer uma compreensão do mundo natural, as duas dão mais uma descrição do que uma verdadeira explicação, e não propõem nenhuma visão de significado ou valor. De acordo com o existencialismo, como humanos, devemos aceitar esse fato e perceber que a capacidade de entender o mundo é uma conquista impossível. O mundo não tem significado além daquele que damos a ele.

Além disso, se um indivíduo faz uma escolha, ela se baseia em uma razão. No entanto, como ninguém é capaz de compreender o significado, a razão é absurda assim como a decisão que se seguiu à escolha.

RELIGIÃO E EXISTENCIALISMO

Embora existam famosos filósofos cristãos e judeus que usam os temas existencialistas em seus trabalhos, no geral, o existencialismo é normalmente associado ao ateísmo. Isso não quer dizer que todo ateu seja existencialista; porém, aqueles que adotam o pensamento existencialista com frequência são ateus.

Por que é assim? O existencialismo não estabelece a prova da existência ou da inexistência de Deus. No entanto, as principais ideias e os temas existencialistas (como a liberdade integral) simplesmente não combinam muito bem com a noção de que há um ser onipotente, onipresente, onisciente e de infinita benevolência. Até mesmo os existencialistas que creem em um ser supremo concordam que a religião é duvidosa. O existencialismo pede aos seres humanos que busquem e encontrem o próprio significado e propósito por si mesmos e isso não seria possível se acreditassem em uma força externa que controla a humanidade.

ARISTÓTELES (384-322 A.C.)

A sabedoria começa pela compreensão de si mesmo

Aristóteles nasceu por volta de 384 a.C. Embora pouco se saiba a respeito de sua mãe, o pai dele era médico na corte do rei macedônio Amintas II (a conexão e afiliação à corte macedônia continuariam a ter um papel importante na vida dele). O pai e a mãe de Aristóteles morreram quando ele ainda era jovem e, com 17 anos, seu tutor o enviou para Atenas em busca de uma educação superior. Foi em Atenas que ele ingressou na Academia, permanecendo lá pelos próximos vinte anos como aluno e colega de Platão.

Quando Platão morreu em 347 a.C., muitos acreditaram que Aristóteles assumiria o lugar dele como diretor da Academia. Naquele momento, porém, como já discordava de diversos pontos do trabalho de Platão (por exemplo, discordava da Teoria das Formas), ele não foi convidado para o cargo.

Em 338 a.C., ele retornou à Macedônia e começou a trabalhar como tutor do filho do rei Felipe II, que tinha 13 anos e viria a ser chamado de Alexandre, o Grande. Quando, em 335 a.C., Alexandre tornou-se rei e conquistou Atenas, Aristóteles voltou para lá. A Academia de Platão (agora dirigida por Xenócrates) continuava a ser a maior escola da cidade e Aristóteles decidiu criar a sua, que denominou Liceu.

Com a morte de Alexandre, o Grande, em 323 a.C., o governo foi derrubado e cresceu o sentimento antimacedônio. Enfrentando acusações de impiedade, Aristóteles fugiu de Atenas a fim de evitar ser perseguido e permaneceu na ilha de Eubeia até sua morte em 322 a.C.

LÓGICA

Embora Aristóteles tenha dado foco a muitos e diversos temas, uma de suas contribuições mais significativas para o mundo da filosofia e do pensamento ocidental foi a criação da lógica. Para ele, o processo de aprendizado se estabelece em três categorias distintas: teoria, prática e produção. A lógica, porém, não pertence a nenhuma dessas categorias.

Em vez disso, a lógica era um instrumento utilizado para obter conhecimento, tornando-se, dessa forma, o primeiro passo do processo de aprendizado. A lógica nos capacita a descobrir erros e estabelecer verdades.

Em seu texto, *Analíticos anteriores*, Aristóteles introduz a noção de silogismo, que se revelou uma das mais importantes contribuições no campo da lógica. O silogismo é um tipo de raciocínio em que a conclusão pode ser deduzida com base em uma série de premissas e suposições específicas.

Por exemplo:

- Todas as pessoas gregas são humanas.
- Todos os humanos são mortais.
- Sendo assim, todos os gregos são mortais.

Para explicar melhor o que é um silogismo, o raciocínio pode ser sintetizado da seguinte maneira:

- Se todo X é Y e todo Y é Z, então, todo X é Z.

Os silogismos são estruturados com três proposições: as duas primeiras são as premissas; a última é a conclusão. As premissas podem ser universais (usam palavras como *tudo*, *todos* ou *nenhum*) ou particulares (por exemplo, usando a palavra *alguns*) e ainda afirmativas ou negativas.

Ele, então, se propôs a criar um conjunto de regras a fim de produzir uma inferência válida. Um exemplo clássico é este:

- Pelo menos uma premissa tem de ser universal.
- Pelo menos uma premissa tem de ser afirmativa.
- Se uma das premissas for negativa, a conclusão será negativa.

Por exemplo:

- Nenhum cachorro é pássaro.
- Papagaios são pássaros.
- Sendo assim, nenhum cachorro é papagaio.

Aristóteles considerou que três regras se aplicavam a todos os pensamentos válidos:

1. **A lei da identidade:** Essa lei afirma que X é X e isso permanece verdade porque X tem certas características. Uma árvore é uma árvore porque podemos ver suas folhas, seu tronco, seus galhos, e assim por diante. Uma árvore não tem outra identidade do que a de uma árvore. Dessa forma, tudo que existe tem suas próprias características verdadeiras para si mesmo.

2. **A lei da não contradição:** Essa lei afirma que X não pode ser X e não ser X simultaneamente. Uma afirmação não pode ser verdadeira e falsa no mesmo momento. Se isso acontecer, surge uma contradição. Se você disser que alimentou o gato ontem e depois afirmar que não alimentou o gato ontem, há aqui uma contradição.
3. **A lei do terceiro excluído:** Essa lei define que uma afirmação é verdadeira ou falsa; não pode haver meio-termo. Também determina que algo é verdadeiro ou falso. Se você diz que seu cabelo é loiro, essa afirmação é verdadeira ou falsa. No entanto, filósofos e matemáticos mais recentes discutem essa lei.

METAFÍSICA

Aristóteles rejeitou a Teoria das Formas de Platão. Sua resposta para compreender a natureza do ser foi a metafísica (embora ele nunca tenha usado essa palavra, preferindo chamá-la de "filosofia primeira").

Enquanto Platão via diferença entre o mundo inteligível (feito de pensamentos e ideias) e o mundo sensível (feito do que está visível) e considerava que o mundo inteligível era a única forma verdadeira de realidade, Aristóteles achava que separar os dois mundos removia deles todo o significado. Em vez disso, Aristóteles acreditava que o mundo era feito de substâncias que podiam ser tanto forma quanto matéria ou ambos e que a inteligibilidade estava presente em todas as coisas e em todos os seres.

A Metafísica, de Aristóteles, é composta por catorze livros, que mais tarde foram agrupados pelos editores. É considerada um dos melhores trabalhos já produzidos no campo da filosofia. Aristóteles acreditava que o conhecimento era constituído de verdades específicas que a pessoa conquistava com a experiência, bem como das verdades derivadas da ciência e da arte. A sabedoria, em oposição ao conhecimento, é quando a pessoa compreende os princípios fundamentais que governam todas as coisas (essas são as verdades mais gerais) e, então, transporta essa informação para a especialização científica.

Aristóteles divide em quatro as causas dos seres como são:

1. **A causa material:** explica do que algo é feito.
2. **A causa formal:** explica qual forma algo assume.
3. **A causa eficiente:** explica o processo de como algo vem a ser.
4. **A causa final:** explica o propósito a que algo serve.

Enquanto as outras ciências podem estudar as razões das manifestações particulares dos seres (por exemplo, um biólogo estuda o humano no que se refere a ser um organismo; e um psicólogo estuda o humano como um ser com consciência), a metafísica examina, em primeiro lugar, a razão da existência do ser. Por isso, costuma ser descrita como "o estudo do ser *qua* ser" ("*qua*", em latim, para "*enquanto*").

VIRTUDE

Outro trabalho de Aristóteles que causou grande impacto foi *Ética*. De acordo com ele, o propósito da ética é descobrir o propósito da vida. Aristóteles percebeu que a felicidade é o bem supremo e o fim perseguido por todos. Segundo ele, as pessoas buscam as boas coisas com o objetivo de atingir a felicidade, e o meio para atingi-la (e, portanto, o propósito da vida) é a virtude.

A virtude exige simultaneamente escolha e hábito. Ao contrário de outros meios para obter a felicidade, como prazer ou honra, com a virtude, quando um indivíduo toma a decisão, ela deriva de uma disposição pessoal, que é determinada pelas escolhas anteriores dessa pessoa.

Uma escolha virtuosa é, então, o meio-termo entre dois extremos. Entre agir com indiferença e frieza em relação a alguém e ser exageradamente subserviente ou atencioso, a escolha virtuosa é a afabilidade.

Para Aristóteles, a felicidade suprema é viver em contemplação intelectual e utilizar a razão (que é o que separa os humanos dos animais) na mais alta forma de virtude. No entanto, para que alguém atinja esse nível de virtude é preciso um ambiente social adequado, o que só pode ser alcançado com o governo adequado.

O NAVIO DE TESEU

Quando um navio não é mais o mesmo navio?

Para entender o paradoxo clássico do Navio de Teseu, é preciso antes compreender o que é um paradoxo.

Definições filosóficas

PARADOXO: Em filosofia, um paradoxo é uma afirmação que começa com uma premissa que parece verdadeira; porém, com mais investigação, a conclusão acaba por provar que a premissa que parecia verdadeira é, na realidade, falsa.

O paradoxo do Navio de Teseu foi publicado pela primeira vez no trabalho de Plutarco, um antigo filósofo grego seguidor de Platão. Ele descreveu como Teseu (o rei fundador de Atenas) retornou de uma longa viagem pelo mar. Ao longo de todo o percurso, todas as velhas e desgastadas placas de madeira que formavam o navio foram sendo arrancadas e substituídas por placas de madeira novas e fortes. As placas velhas de madeira eram jogadas ao mar. Quando Teseu e sua tripulação finalmente retornaram da viagem, cada placa de madeira do navio havia sido trocada e descartada. Isso leva às seguintes perguntas: O navio em que eles retornaram era o mesmo em que partiram, apesar de agora as placas de madeira serem completamente diferentes? E se o navio ainda tiver uma placa de madeira original em sua estrutura? E se houver duas placas de madeira original em sua estrutura? Isso mudaria a resposta de alguém?

Outro modo de olhar para isso:

Se o navio em que Teseu começou sua viagem for A e o navio em que Teseu retornou for B, então, isso faz A = B?

A CONTRIBUIÇÃO DE THOMAS HOBBES

Muito tempo depois, o famoso filósofo do século XVII, Thomas Hobbes, levou esse paradoxo mais adiante.

Agora, imagine que seguindo o Navio de Teseu houvesse um ser reciclador. Enquanto a tripulação descartava as placas de madeira no mar, ele as recolhia da água para construir o próprio navio. Duas embarcações chegaram ao porto: uma que trazia Teseu e sua tripulação e feita de placas novas de madeira; e a outra, construída pelo reciclador com a madeira descartada no mar. Nesse cenário, qual é o navio de Teseu?

Assim, vamos chamar o navio do reciclador de C.

Sabemos que B ≠ C porque dois navios atracaram no porto e, portanto, com certeza não podem ser um e o mesmo.

Então, o que torna o navio de Teseu o navio de Teseu? As partes individuais das quais o navio é feito? A sua estrutura? A história do navio?

A PARTIR DAQUI PARA ONDE VAMOS?

A Teoria da Identidade Mereológica[2] (TIM) afirma que a identidade de algo depende da identidade das partes que o compõem. Para isso, é preciso que exista uma condição de identidade, ou seja, tem de haver a igualdade entre as partes.

Em outras palavras, X = Y se todas as partes de X também forem partes de Y e vice-versa.

Por exemplo, o objeto X é formado por determinados componentes no início de um período de tempo (t1). Se no final desse período de tempo (t2), o objeto (que agora é Y) mantiver os mesmos componentes, então, ele continua a existir.

De acordo com a TIM, no paradoxo do Navio de Teseu, A = C. Isso significa que existem dois navios. O navio em que Teseu começou a viagem (A) é exatamente o mesmo que trouxe o reciclador ao porto (C) e, então, há o navio que trouxe Teseu de volta (B), que é composto de novas partes.

No entanto, há um problema nessa conclusão. Nesse cenário, Teseu deveria ter trocado de navio durante a jornada, porque ele chegou ao porto em B (que não é igual a C). Contudo, Teseu nunca deixou o navio. Ele partiu em A, voltou em B e nunca esteve a bordo de dois navios (o que a TIM afirma que deve ocorrer).

Existem outras possíveis formas para solucionar esse problema. Vamos abandonar a teoria TIM completamente e, em vez disso, afirmar que A = B. Assim, ainda existem apenas dois navios: aquele em que Teseu iniciou sua jornada (A) e aquele em que retornou ao porto (B) são considerados um só, e o navio do reciclador é o segundo.

Essa proposição também apresenta problemas. Dizer que A = B também implica que B ≠ C e, então, A ≠ C. Entretanto, não é possível afirmar isso porque cada parte de C é parte de A e vice-versa. Além disso, A e B não têm nenhuma parte em comum e, mesmo assim, estamos propondo que ambos sejam o mesmo navio.

---

2 Mereologia — a relação lógica existente entre as partes e o todo. (N.T.)

Outra teoria que pode ser aplicada ao paradoxo do Navio de Teseu é chamada de Continuidade Espaço-Tempo. Essa teoria afirma que um objeto pode ter uma trajetória contínua no espaço-tempo, desde que a mudança seja gradual e que a estrutura e a forma sejam preservadas. Isso viabilizaria as mudanças graduais que foram realizadas no navio ao longo do tempo.

No entanto, mesmo aqui nós vemos problemas! E se cada parte do navio for empacotada em caixas individuais, despachadas para diferentes lugares do mundo e depois abertas e remontadas? Embora numericamente esse possa ser o mesmo navio, o objeto não existiu todo o tempo como navio através do espaço-tempo (observe que a teoria TIM parece adequada nesse cenário).

O QUE SIGNIFICA O NAVIO DE TESEU?

Claro, esse paradoxo vai além de um problema sobre embarcações. O Navio de Teseu trata, na verdade, sobre identidade e o que nos torna a pessoa que somos. Partes de nós mesmos mudam com o passar dos anos, mas ainda assim consideramos que somos a mesma pessoa.

Nossa identidade é a mesma por causa de nossa estrutura? Nesse caso, se perder um membro ou até mesmo se cortar o cabelo, você não seria mais você. Então, é por causa da sua mente e dos seus sentimentos? Se for assim, você não seria mais você mesmo se perdesse a memória ou tivesse uma mudança no amor? É por causa das partes que nos compõem? Ou da história?

O Navio de Teseu e suas implicações quanto à identidade são debatidos até hoje.

FRANCIS BACON (1561-1626)

Mudando para sempre nosso jeito de encarar a ciência

Francis Bacon foi um dos mais importantes filósofos surgidos no Renascimento em virtude de suas imensas contribuições para a evolução da filosofia natural e da metodologia científica.

Bacon nasceu em Londres, Inglaterra, em 22 de janeiro de 1561. Foi o filho mais novo de sir Nicholas Bacon, lorde guardião do selo real, e de lady Anne Cooke Bacon, que era filha do cavaleiro tutor de Eduardo VI.

Em 1573, com apenas 11 anos, Francis Bacon ingressou na Trinity College (Cambridge). Depois de completar os estudos em 1575, inscreveu-se na faculdade de direito e não demorou muito para que percebesse que era muito antiquada para suas preferências (Bacon lembrava que seu tutor seguia o pensamento de Aristóteles, enquanto ele estava muito mais interessado no movimento humanista que se disseminava pelo mundo por causa do Renascimento). Bacon abandonou a faculdade e se tornou assistente do embaixador na França. Em 1579, quando seu pai faleceu, retornou a Londres e voltou a estudar direito, completando a graduação em 1582.

Em 1584, Francis Bacon foi eleito para o Parlamento como representante de Melcombe em Dorsetshire e continuou a trabalhar lá pelos próximos 36 anos. Finalmente, sob o reinado de James I, ele se tornou lorde chanceler, o mais alto posto político do governo. Foi nessa posição, no auge da carreira, que enfrentou um grande escândalo que colocou um fim definitivo em sua trajetória política, e abriu caminho para suas indagações filosóficas.

Em 1621, Bacon, como lorde chanceler, foi acusado de aceitar propinas e preso. Ele se declarou culpado, foi multado em 40 mil libras e sentenciado à prisão na Torre de Londres. Embora a multa tenha sido perdoada e ele tenha passado apenas quatro dias na prisão, Bacon nunca mais foi autorizado a atuar como lorde chanceler ou voltar a se sentar no Parlamento, o que pôs fim à sua carreira política.

Foi nessa altura da vida que Francis Bacon decidiu dedicar seu tempo restante (cinco anos) à filosofia.

O TRABALHO FILOSÓFICO DE FRANCIS BACON

Talvez Francis Bacon seja mais conhecido por seu trabalho em filosofia natural. Ao contrário de Platão (que afirmava que o conhecimento podia ser obtido com a compreensão do significado das palavras e dos conteúdos) e de Aristóteles (que enfatizava os dados empíricos), Bacon preferia a observação, a experimentação e a interação. Então, propôs a criação de métodos baseados em provas tangíveis em um esforço para explicar a ciência.

Os quatro ídolos de Bacon

Francis Bacon considerava que os trabalhos de Aristóteles (com quem até aquele ponto os pensadores escolásticos concordavam), na verdade, impediam a capacidade de pensar com independência e chegar a novas ideias sobre a natureza. Ele argumentava que, com o avanço da ciência, a qualidade da vida humana poderia melhorar e, dessa forma, as pessoas não confiariam mais nos trabalhos dos antigos filósofos. Bacon tornou-se tão desiludido com o pensamento filosófico de sua época que o dividiu em quatro categorias de falso conhecimento, às quais se referia como "ídolos". Os quatro ídolos eram:

1. **Os ídolos da tribo:** são as falsas noções derivadas da natureza humana comum a todos nós. Por exemplo, a natureza humana faz com que as pessoas busquem evidências que deem suporte às próprias conclusões; faz com que tentem encaixar tudo dentro de padrões; e faz com que as crenças sejam afetadas por aquilo em que as pessoas acreditam.
2. **Os ídolos da caverna:** são interpretações surgidas como resultado da disposição e viés individuais. Por exemplo, algumas pessoas preferem as semelhanças, enquanto outras gostam das diferenças e algumas ainda estão a favor das ideias que apoiam suas conclusões anteriores.
3. **Os ídolos do mercado:** são as falsas noções surgidas a partir do uso da linguagem e das palavras como meio de se comunicar com o outro. Por exemplo, as palavras podem ter uma variedade de significados e as pessoas têm a capacidade de nomear e imaginar coisas que realmente não existem.
4. **Os ídolos do teatro:** para Bacon, as correntes filosóficas não eram muito melhores do que as peças teatrais. Segundo ele, a filosofia sofista, como o trabalho de Aristóteles, focava mais argumentos espertos e irrelevantes do que o mundo natural; a filosofia empírica concentrava-se em uma pequena gama de experimentos e excluía muitas outras possibilidades; e a filosofia supersticiosa, estabelecida pela religião e pela superstição, era uma corrupção da filosofia. Para Francis Bacon, a filosofia supersticiosa era o pior tipo de falsa noção.

O MÉTODO INDUTIVO

Com a convicção de que o conhecimento deveria ser perseguido e suas críticas às doutrinas filosóficas da época, Francis Bacon propôs a criação de um novo método organizado, que, por fim, tornou-se sua maior contribuição ao mundo da filosofia. Em seu livro, *Novum Organum*, ele detalha seu método indutivo, também conhecido como científico.

O método indutivo combina o processo de observar a natureza com cuidado e acumular dados sistematicamente. Enquanto o método dedutivo (como o trabalho de Aristóteles) começa por tomar como base uma ou mais afirmações verdadeiras (ou axiomas) e, então, procura provar que outras afirmações são também verdadeiras, o método indutivo começa por fazer observações na natureza e, então, descobrir leis e teorias sobre como funciona a natureza. Em essência, o método dedutivo usa a lógica e o método indutivo, a natureza.

A ênfase de Bacon em experimentos

Bacon enfatizava a importância da experimentação em seu trabalho e considerava que os dados deviam ser cuidadosamente registrados para que os resultados pudessem ser, ao mesmo tempo, confiáveis e reproduzíveis.

O processo do método indutivo é o seguinte:

1. Acumular uma série de observações empíricas específicas em relação à característica que está sendo investigada.
2. Classificar esses fatos em três categorias: a instância quando a característica investigada está presente; a instância quando ela está ausente; e a instância quando ela está presente em graus variáveis.
3. Com a análise cuidadosa dos resultados, rejeitar as noções que não pareçam responsáveis pela ocorrência e identificar as possíveis causas responsáveis pela ocorrência.

A VACA NO CAMPO

Desafiando a definição de conhecimento

Imagine o seguinte cenário:

Um fazendeiro estava preocupado porque sua vaca premiada havia se afastado do curral. Um leiteiro foi à fazenda e o homem lhe falou de sua preocupação. O leiteiro disse que o fazendeiro não deveria se preocupar porque, na verdade, ele havia visto a vaca em um campo ali perto. O fazendeiro olhou a distância para o campo e avistou uma forma grande com manchas pretas e brancas. O fazendeiro ficou satisfeito com o que viu, pois agora sabia onde estava sua vaca.

Mais tarde, o leiteiro decidiu ir ao campo para verificar se a vaca estava realmente lá. De fato, o animal estava no campo, mas, para surpresa do leiteiro, a vaca estava completamente escondida por um bosque. No mesmo campo, porém, havia um grande pedaço de papel preto e branco preso em uma árvore. Ao ver aquilo, o leiteiro percebeu que o fazendeiro confundira o pedaço de papel com sua vaca.

Então, isso leva à pergunta: o fazendeiro estava certo quando disse que sabia que a vaca estava no campo?

O PROBLEMA GETTIER E A TEORIA TRIPARTITE DO CONHECIMENTO

A vaca no campo é um exemplo clássico do que é conhecido como "o problema Gettier". Essa análise, lançada por Edmund Gettier em 1963, desafiava a abordagem filosófica tradicional, que definia o conhecimento como uma crença verdadeira e justificada. Gettier criou uma série de problemas (baseados em situações reais ou possíveis) em que um indivíduo tem uma crença que acaba sendo verdadeira e há evidências para dar suporte a ela, mas que falha para ser considerada conhecimento.

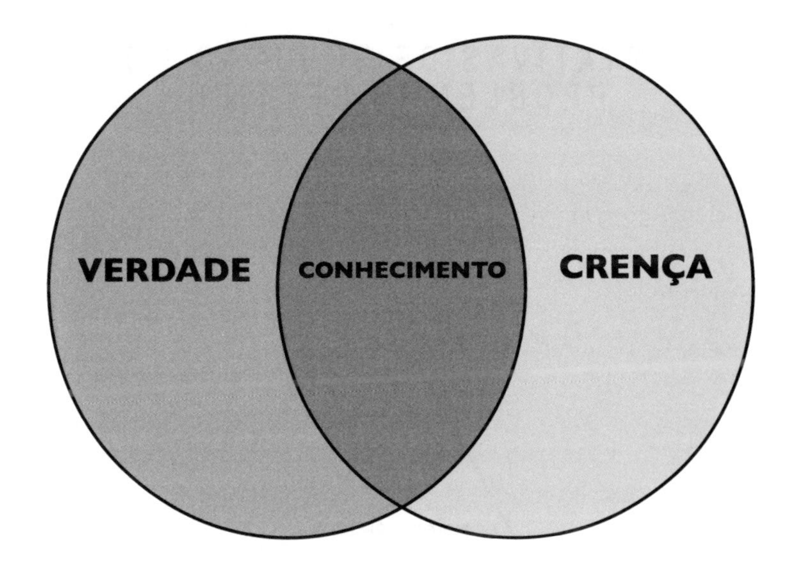

De acordo com Platão, para que alguém possa ter conhecimento de algo, três condições precisam estar satisfeitas. Isso é conhecido como a Teoria Tripartite do Conhecimento.

Segundo essa teoria, o conhecimento ocorre quando uma crença verdadeira é justificada. Desse modo, quando alguém acredita que algo seja verdadeiro e com justificação, isso acaba sendo realmente verdadeiro, então, a pessoa obteve um conhecimento. As três condições da teoria tripartite do conhecimento são:

1. **Crença:** uma pessoa não pode saber que algo é verdade sem antes acreditar que aquilo seja verdade.
2. **Verdade:** se uma pessoa sabe algo, então, isso deve ser verdade. Se uma crença é falsa, então, não pode ser verdadeira e, dessa forma, não pode ser conhecida.
3. **Justificação:** não basta simplesmente acreditar em algo para que isso seja verdade. Deve haver uma justificação com evidência suficiente.

Com seus problemas, Edmund Gettier foi capaz de mostrar que a teoria tripartite do conhecimento estava incorreta. Embora seus problemas sejam diferentes em detalhes específicos, possuem duas características em comum:

1. Embora haja justificação, ela é falível porque existe a possibilidade de que a crença seja falsa por fim.
2. Cada problema envolve o acaso. Em todos os problemas de Gettier, a crença se torna justificação; porém, isso se deve ao puro acaso.

TENTATIVAS DE SOLUÇÃO DOS PROBLEMAS GETTIER

Existem quatro teorias principais que tentam aprimorar a teoria tripartite do conhecimento. Agora, em vez de três condições (que podiam ser vistas como um triângulo), o conhecimento passa a contar com uma condição extra (e agora é visto como um quadrado).

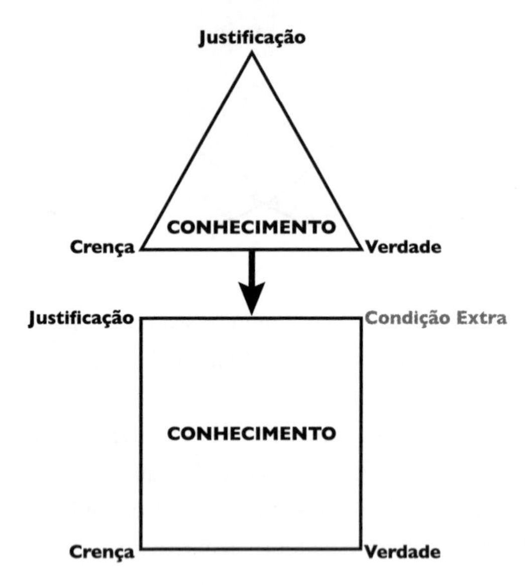

As quatro principais teorias são:

1. **Condição da crença não falsa:** essa teoria afirma que uma crença não pode ser baseada em uma inverdade. Por exemplo, um relógio para de trabalhar às 10 horas da manhã e você está desatento ao fato. Doze horas depois, às 10 horas da noite, você olha para o relógio. A hora marcada está realmente correta, mas a sua crença de que o relógio está funcionando está incorreta.
2. **Condição da conexão causal**: entre conhecimento e crença, deve haver uma conexão causal. Por exemplo, considere a seguinte situação. Tom acredita que Frank está no quarto. Tom vê Frank parado em pé em seu quarto. Sendo assim, a crença de Tom está justificada. Tom desconhece, porém, o fato de que ele não está vendo Frank. Em vez disso, é o irmão gêmeo de Frank, Sam, que está em pé e é visto por Tom. Na verdade, Frank está escondido debaixo da cama de Tom. Embora Frank esteja no quarto, isso não é porque Tom sabe do fato. De acordo com a condição da conexão causal, Tom não deveria ser capaz de concluir que

Frank está no quarto porque não há conexão entre ver Sam e saber que Frank está no quarto.

3. **Condição das razões conclusivas**: deve haver uma razão para uma crença, que não existirá se a crença for falsa. Por exemplo, se uma pessoa acredita que existe uma mesa diante dela, não haverá razão se não houver uma mesa diante dela.
4. **Condição de anulabilidade**: essa teoria afirma que, enquanto não houver evidência que indique o contrário, uma crença é conhecida. Na situação entre Tom, Frank e Sam, Tom pode dizer que Frank está no quarto porque não está ciente de nenhuma evidência que indique o contrário.

Embora essas quatro teorias procurem aprimorar a teoria tripartite do conhecimento, elas também apresentam seus problemas. É por essa razão que o trabalho de Edmund Gettier tornou-se tão influente. De sua obra, emerge a questão: algum dia, nós compreenderemos realmente o que é o conhecimento?

DAVID HUME (1711-1776)

Um dos mais importantes contribuintes da filosofia ocidental

David Hume nasceu em uma família modesta, em Edimburgo, na Escócia, em 1711. Quando tinha 2 anos, o pai dele morreu e a mãe criou sozinha três filhos. Aos 12 anos, Hume foi enviado à Universidade de Edimburgo, onde desenvolveu paixão pelos clássicos e passou os três anos seguintes estudando para tentar criar seu sistema filosófico.

Os estudos, no entanto, mostraram-se extraordinariamente custosos para Hume e passaram a comprometer sua saúde psicológica. Depois de trabalhar por algum tempo como escriturário de um importador de açúcar, ele finalmente se recuperou e se mudou para a França para continuar trabalhando em sua visão filosófica. Entre 1734 e 1737, enquanto morava em La Flèche, na França, Hume escreveu seu trabalho mais impactante, o livro *Tratado da natureza humana*. Depois, entre 1739 e 1740, o tratado foi publicado em Londres em três volumes. Hume removeu algumas partes que lhe pareciam muito controvertidas para a época (como a sua discussão sobre os milagres).

Hume queria trabalhar no sistema acadêmico britânico. Seu *Tratado*, porém, foi recebido com frieza e, embora a compilação dos dois volumes seguintes, *Ensaios morais, políticos e literários*, tenha feito um sucesso modesto, sua reputação de ateu e cético arruinou suas chances de fazer carreira em educação.

TRATADO DA NATUREZA HUMANA

O trabalho mais influente de Hume foi dividido em três livros e aborda uma ampla gama de temas filosóficos.

Livro I: Do Entendimento

Hume argumenta que o empirismo, a noção de que todo conhecimento deriva da experiência, é válido e que as ideias não são essencialmente diferentes da experiência porque as ideias complexas são resultado das ideias mais simples, e as ideias mais simples são formadas a partir das impressões geradas pelos sentidos. Para ele, existe também algo que chama de "questão de fato", ou seja, uma questão que precisa ser experienciada e que não pode ser atingida pelo instinto ou pela razão.

Com esses argumentos, ele enfrenta a noção da existência de Deus, da criação divina e de alma. Segundo Hume, como as pessoas não podem experienciar ou ter uma impressão de Deus, da criação divina e da alma, então, não há razão verdadeira para acreditar na existência deles.

Nesse seu primeiro livro, Hume apresenta três instrumentos de inquirição filosófica: o microscópio, a lâmina e a bifurcação.

- **Microscópio:** para entender uma ideia, a pessoa precisa antes dividi-la nas ideias mais simples que a compõem.
- **Lâmina:** se um termo não pode ser separado em ideias mais simples, então, o termo não tem significado. Hume utiliza a noção de lâmina para desvalorizar ideias como a metafísica e a religião.
- **Bifurcação:** esse princípio separa a verdade em dois tipos. O primeiro estabelece que, uma vez comprovada, uma ideia permanece comprovada (como uma afirmação matemática verdadeira, por exemplo). O outro tipo relaciona-se às questões de fato e às coisas que ocorrem no mundo.

Livro II: Das Paixões

No segundo livro, Hume aborda o que denomina de paixões (sentimentos como amor, ódio, pesar, alegria, entre outros). Ele classifica as paixões da mesma forma com que faz com as ideias e as impressões. Primeiro, faz uma distinção entre as impressões originais, que são recebidas dos sentidos, e as impressões secundárias, que derivam das impressões originais.

As impressões originais são internas e geradas por fontes físicas. Surgem na forma de dores e prazeres físicos e são novas para nós porque se originam em fontes físicas. De acordo com Hume, as paixões encontram-se no mundo das impressões secundárias. Hume faz, então, a distinção entre as paixões diretas (como pesar, medo, desejo, alegria e aversão) e as paixões indiretas (como amor, ódio, orgulho e humildade).

Ele afirma que a moralidade não se baseia na razão porque as decisões morais afetam as ações, enquanto as decisões tomadas pela razão não. As crenças de um indivíduo, no que se refere à causa e ao efeito, são relacionadas à conexão entre os objetos que aquela pessoa experiencia. As ações de um indivíduo são afetadas somente quando os objetos são de seu interesse e eles só interessam para a pessoa se tiverem a capacidade de causar dor ou prazer.

Dessa forma, Hume argumenta, o prazer e a dor são o que motiva as pessoas a criar paixões. Para ele, as paixões são o sentimento que inicia as ações, e a razão deve agir como uma "escrava" da paixão. A razão pode influenciar as ações de um indivíduo de duas maneiras: ela direciona o foco das paixões para os objetos e revela as conexões entre os eventos, que, por fim, vão criar as paixões.

Livro III: Da Moral

Com base nas ideias que estabeleceu em seus dois livros anteriores, Hume aborda a noção de moralidade. Primeiro, distingue virtude e vício. Hume afirma que essas distinções morais são impressões, não ideias. Enquanto a impressão da virtude é prazerosa, a impressão do vício é dolorosa. Essas impressões morais são apenas o resultado da ação humana e não podem ser causadas por objetos inanimados ou animais.

Hume afirma que as ações de um indivíduo são consideradas morais ou imorais com base somente no efeito causado sobre os outros (e não em como afetam o próprio indivíduo). Assim, as impressões morais só podem ser avaliadas pelo ponto de vista social. Com essa noção em mente, ele afirma que o alicerce da obrigação moral é a simpatia.

A moralidade não é uma questão de fato, isto é, o resultado da experiência. Hume utiliza o assassinato como exemplo. Se alguém examina um assassinato, a pessoa não experiencia dor e, desse modo, não pode encontrar o vício. Você apenas demonstra a própria aversão em relação ao assassinato. Isso comprova que a moralidade não existe na razão, mas, em vez disso, encontra-se nas paixões.

Por causa de suas críticas às teorias, às ideias e às metodologias fortemente alicerçadas no racionalismo, David Hume tornou-se uma das mentes mais importantes da filosofia ocidental. Seu trabalho abordou um número incrível de temas filosóficos, que incluem religião, metafísica, identidade pessoal, moralidade e conceitos da relação de causa e efeito.

HEDONISMO

Tudo se refere ao prazer e à dor

Na verdade, o termo *hedonismo* refere- se às diversas teorias que, embora diferentes umas das outras, compartilham a mesma noção subjacente: o prazer e a dor são os únicos elementos importantes dos fenômenos específicos descritos pelas teorias. Em filosofia, com frequência, o hedonismo é discutido como uma teoria do valor. Isso quer dizer que o prazer é a única coisa intrinsecamente valiosa para uma pessoa durante todo o tempo, enquanto a dor é a única coisa intrinsecamente sem valor para um indivíduo. Para os hedonistas, o significado de prazer e dor é amplo e, assim, ambos podem se relacionar aos fenômenos mentais e físicos.

ORIGEM E HISTÓRIA DO HEDONISMO

O primeiro grande movimento hedonista data do século IV a.C. com os cirenaicos, uma escola de pensamento fundada por Aristipo de Cirene. Os cirenaicos enfatizaram a crença socrática de que a felicidade é um dos resultados da ação moral, mas também acreditavam que a virtude não possuía valor intrínseco. Consideravam que o prazer, especificamente o prazer físico acima do prazer mental, era o bem supremo e que a gratificação imediata era mais desejável do que esperar longamente pelo prazer.

Depois dos cirenaicos, veio o epicurismo (liderado por Epicuro), que era uma forma de hedonismo bastante diferente daquela de Aristipo. Embora concordasse que o prazer era o bem supremo, Epicuro acreditava que o prazer era alcançado pela tranquilidade e pela redução do desejo, em vez da gratificação imediata. De acordo com ele, viver uma vida simples repleta de amigos e discussões filosóficas era o maior prazer que podia ser alcançado.

Durante a Idade Média, o hedonismo foi rejeitado pelos filósofos cristãos porque não combinava com as virtudes e os ideais como a fé, a esperança, a evitação do pecado e a ajuda aos outros. Ainda assim, alguns filósofos argumentaram que o hedonismo tinha seus méritos porque era desejo de Deus que as pessoas fossem felizes.

O hedonismo foi mais popular nos séculos XVIII e XIX, em virtude do trabalho de Jeremy Bentham e John Stuart Mill. Ambos defenderam variações da teoria como o hedonismo prudente, o hedonismo utilitarista e o hedonismo motivacional.

O VALOR E O HEDONISMO PRUDENTE

Em filosofia, em geral, o hedonismo refere-se a valor e bem-estar. A teoria considera que o prazer é a única coisa intrinsecamente valiosa, enquanto a dor é a única coisa intrinsecamente não valiosa.

Definições filosóficas

INTRINSECAMENTE VALIOSO: A palavra *intrinsecamente* é bastante aplicada quando se discute o hedonismo e, por isso, é muito importante compreendê-la. Ao contrário da palavra *instrumental*, o uso da palavra *intrinsecamente* implica que algo é valioso por si mesmo. O dinheiro é *instrumentalmente* valioso. Ter dinheiro só tem realmente valor quando se compra algo com ele. Dessa forma, o dinheiro não é *intrinsecamente* valioso. O prazer, por outro lado, é *intrinsecamente* valioso. Quando uma pessoa vivencia o prazer, mesmo que não leve a algo mais, o prazer inicial é agradável por si mesmo.

De acordo com o hedonismo, tudo o que tem valor está reduzido ao prazer. Com base nessa informação, o hedonismo prudente vai um passo além e afirma que todo prazer, e somente o prazer, pode tornar melhor a vida de um indivíduo e que toda dor, e somente a dor, pode tornar pior a vida de um indivíduo.

HEDONISMO PSICOLÓGICO

O hedonismo psicológico, também conhecido como hedonismo motivacional, é a crença de que o desejo de experimentar o prazer e evitar a dor, consciente ou inconscientemente, é responsável por todos os comportamentos humanos. Variações do hedonismo psicológico foram propostas por Sigmund Freud, Epicuro, Charles Darwin e John Stuart Mill.

O hedonismo psicológico puro (ou seja, aquele que prega que absolutamente todo comportamento é baseado em evitar a dor e obter o prazer) foi, em geral, abandonado pelos filósofos atuais. Há incontáveis evidências para demonstrar que isso não se aplica (por exemplo, quando uma ação aparentemente dolorosa é assumida pelo senso de dever), e aceita-se que as decisões são tomadas com base em motivos que não envolvem a busca de prazer ou o afastamento da dor.

HEDONISMO NORMATIVO

O hedonismo normativo, também chamado de hedonismo ético, é a teoria que afirma que a felicidade deve ser perseguida. Aqui, a definição de felicidade é "prazer menos dor". O hedonismo normativo é aplicado para traçar teorias a fim de explicar como e por que uma ação pode ser moralmente tolerável ou intolerável. A doutrina pode ser dividida em dois tipos, que utilizam a felicidade para decidir se uma ação é moralmente certa ou errada.

1. **Hedonismo egoísta**: essa teoria afirma que a pessoa deve agir da maneira mais adequada aos próprios interesses, o que, por fim, a fará feliz. As consequências não devem ser consideradas (e não têm valor) para ninguém mais além do indivíduo que desempenha a ação. No entanto, no hedonismo egoísta, é preciso que ocorra uma dessensibilização. Se a pessoa rouba para atender ao próprio interesse, ela não sentirá a diferença entre roubar de alguém que seja rico ou pobre.
2. **Hedonismo utilitarista**: essa teoria afirma que uma ação está correta (é moralmente tolerável) quando produz — ou provavelmente produzirá — felicidade pura para todas as pessoas que serão atingidas por ela. O utilitarismo, portanto, propõe a felicidade de todos que possam ser afetados pela ação e não apenas do indivíduo que age (todo mundo tem peso igual). De acordo com o hedonismo utilitarista, roubar de um pobre é moralmente intolerável porque isso fará o pobre infeliz e o ladrão será apenas um pouco mais feliz (e, caso sinta culpa, sua felicidade será ainda menor).

Embora o utilitarismo hedonista possa parecer uma teoria atraente por tratar todo mundo de maneira igual, ele enfrentou críticas por não dar valor moral intrínseco a coisas como amizade, justiça e verdade, entre outras.

Considere o seguinte exemplo: uma criança foi assassinada em uma pequena cidade. Todos acreditam que o seu melhor amigo é o assassino, mas você sabe que ele é inocente. Se a única maneira de promover a maior felicidade para todos é matar seu amigo, de acordo com o hedonismo utilitarista, você deve fazê-lo. Não importa que o assassino ainda esteja solto lá fora — tudo o que importa é a maior felicidade pura para todos, que só acontecerá com a morte de quem a cidade acredita que seja o suspeito.

O DILEMA DO PRISIONEIRO

Qual escolha é a certa?

O dilema do prisioneiro é uma das ilustrações mais famosas de por que as pessoas agem como agem. Na verdade, esse dilema é parte da Teoria dos Jogos, um campo da matemática que aborda os diversos resultados das situações que exigem estratégia. Contudo, o dilema do prisioneiro vai muito além de uma noção matemática. Ele levanta questões importantes sobre moralidade, psicologia e filosofia e pode até ser observado no mundo natural.

A ORIGEM DO DILEMA DO PRISIONEIRO

Em 1950, a corporação RAND (Research and Development) contratou os matemáticos Merrill Flood e Melvin Dresher para participar das investigações que estavam sendo conduzidas sobre a Teoria dos Jogos. O objetivo era aplicá-la na estratégia nuclear global. Com base nos quebra-cabeças criados por Flood e Dresher, o professor de Princeton, Albert W. Tucker, tornou mais acessível o trabalho deles, concebendo, assim, o que agora é conhecido como o dilema do prisioneiro.

O DILEMA DO PRISIONEIRO

Dois prisioneiros, o prisioneiro A e o prisioneiro B, foram colocados sob custódia. Os policiais não tinham evidências suficientes e, então, decidiram deter A e B em salas separadas. Disseram para cada um que, se entregasse o outro e o outro permanecesse em silêncio, ficaria livre e o prisioneiro que permaneceu quieto seria condenado. Caso A e B confessassem, os dois enfrentariam um tempo de prisão (embora menor do que aquele que caberia ao prisioneiro que ficou em silêncio). Se ambos os prisioneiros A e B ficassem em silêncio, os dois passariam um tempo ainda menor na prisão.

Por exemplo:

	Confessar A	Ficar quieto A
Confessar B	6 6	10 0
Ficar quieto B	0 10	2 2

De acordo com esse diagrama, se o prisioneiro A e o prisioneiro B confessarem, os dois ficarão detidos por seis anos cada um. Se o prisioneiro A ficar em silêncio enquanto o prisioneiro B confessa (o que culpa o prisioneiro A no processo), o prisioneiro A cumprirá pena de dez anos, enquanto o prisioneiro B volta para casa. Da mesma maneira, se o prisioneiro A confessar e o prisioneiro B ficar em silêncio, então, o prisioneiro A volta para casa e o prisioneiro B enfrentará dez anos de prisão. Por fim, se os dois permanecerem em silêncio, eles pegarão dois anos de cadeia. Outra forma de ver esse dilema:

	C	D
C	R,R	O,T
D	T,O	P,P

A letra **C** representa um jogador que está **C**ooperando (nesse caso, permanece em silêncio) e **D** representa o jogador **D**esistindo (nesse caso, confessando). O **R** é a **R**ecompensa que os jogadores receberão se ambos decidirem cooperar; **P** refere-se à **P**unição que os dois receberão por desistir; **T** é a **T**entação que um jogador sentirá de desistir sozinho; e, por fim, **O** significa o resultado para o jogador **O**tário por ter cooperado sozinho.

O QUE ISSO QUER DIZER

O dilema do prisioneiro é o seguinte: para o prisioneiro A e o prisioneiro B é melhor confessar; porém, se os dois confessarem, o resultado é muito pior do que se ambos permanecessem em silêncio.

Essa é uma ilustração perfeita do conflito que surge entre a racionalidade do grupo e a racionalidade individual. Se um grupo de pessoas age racionalmente, na verdade, elas ficarão bem pior do que um grupo de pessoas que age irracionalmente. No dilema do prisioneiro, assume-se que todos os jogadores são racionais e sabem que as outras pessoas também são. O pensamento racional pode ser desistir. Contudo, ao escolher se proteger e agir pelo próprio interesse, os prisioneiros, na verdade, ficarão numa situação pior.

MÚLTIPLOS MOVIMENTOS

Agora, vamos acrescentar outra opção ao mesmo jogo. Os prisioneiros agora têm a escolha de **D**esistir (nesse caso, confessar), **C**ooperar (nesse caso, ficar em silêncio) ou **N**enhuma. Verificamos que Desistir não é mais a escolha dominante e que, na verdade, os jogadores vão se sair melhor ao escolher Cooperar, caso o outro escolha Nenhuma.

	C	**D**	**N**
C	R, R	O,T	T, O
D	T, O	P, P	R, O
N	O,T	O, R	O, O

MÚLTIPLOS JOGADORES E A TRAGÉDIA DO BEM COMUM

A estrutura do dilema do prisioneiro pode ocorrer em grande escala, em grupos numerosos ou até em sociedades. É aqui que verificamos como a moralidade causa seus efeitos. Talvez o melhor exemplo para demonstrar o dilema do prisioneiro com múltiplos jogadores seja a situação conhecida como "a tragédia do bem comum".

Em um grupo de fazendeiros vizinhos, todos preferem que seu gado não paste dentro dos limites da terra de propriedade individual (que não são muito apropriadas), mas que os animais sejam levados para se alimentar nas áreas comuns desocupadas. No entanto, se essas terras comuns chegarem a determinado ponto de exploração, elas se tornarão inadequadas para a pastagem. Agindo racionalmente (em nome do próprio interesse) para tentar colher os benefícios da terra, os fazendeiros esgotarão as áreas desocupadas e provocarão um impacto negativo para todos. Como no dilema do prisioneiro, uma estratégia individual racional gera resultados irracionais que afetam o grupo como um todo.

Portanto, o que nos ensinam sobre moralidade o dilema do prisioneiro e a tragédia do bem comum? Em essência, esses exemplos comprovam que buscar o próprio interesse e gratificação nos levará, na verdade, à autodestruição no longo prazo.

EXEMPLO DO DILEMA DO PRISIONEIRO NO MUNDO REAL

Um exemplo clássico do dilema do prisioneiro é atualmente uma discussão importante na indústria pesqueira. Os pescadores empresariais estão trabalhando com grandes volumes e alta velocidade. Embora isso possa parecer positivo para a lucratividade atual, a velocidade com que os peixes estão sendo pescados é maior do que o tempo que os animais precisam para se reproduzir. Como resultado, os pescadores agora contam com águas menos povoadas por peixes, o que causa uma dificuldade para todo o grupo.

Com o objetivo de assegurar a sobrevivência da indústria no longo prazo, os pescadores deveriam cooperar uns com os outros e abrir mão dos altos lucros no futuro imediato (portanto, indo contra os próprios interesses).

SÃO TOMÁS DE AQUINO (1225-1274)

Filosofia e religião

Tomás de Aquino nasceu por volta de 1225, na Lombardia, Itália, no condado de Teano. Quando tinha apenas 5 anos, foi enviado para o monastério de Montecassino para estudar com os monges beneditinos. Ele permaneceu ali até os 13 anos, quando, por causa de uma grande agitação política, Montecassino tornou-se campo de guerra e ele teve de partir.

O garoto foi transferido para Nápoles, onde estudou na casa beneditina associada à universidade local. Lá, ele passou os cinco anos seguintes aprendendo sobre o trabalho de Aristóteles e se tornou muito interessado nas ordens monásticas contemporâneas. Em particular, Aquino estava sendo dirigido pela ideia de viver prestando serviços espirituais, ao contrário daquela vida mais tradicional e protegida a que estava acostumado com os monges de Montecassino.

Tomás de Aquino começou a frequentar a Universidade de Nápoles em 1239. Em 1243, ele ingressou em segredo na ordem dos monges dominicanos e recebeu o hábito no ano seguinte. Quando a família dele soube disso, ele foi sequestrado e mantido preso por um ano, em uma tentativa dos parentes de fazê-lo ver os erros de sua jornada. O esforço foi em vão, porém, e, quando foi libertado em 1245, Aquino retornou à ordem dominicana. Entre 1245 e 1252, estudou com os dominicanos em Nápoles, Paris, Colônia (onde se ordenou em **1250**) e, por fim, retornou à França para ensinar teologia na Universidade de Paris.

Em uma época em que a Igreja Católica tinha um poder esmagador e as pessoas se digladiavam com a noção de que a filosofia e a religião pudessem coexistir, Tomás de Aquino colocou a fé e a razão juntas. Ele acreditava que todo o conhecimento, seja adquirido na natureza seja pelos estudos religiosos, vinha de Deus e podia funcionar junto.

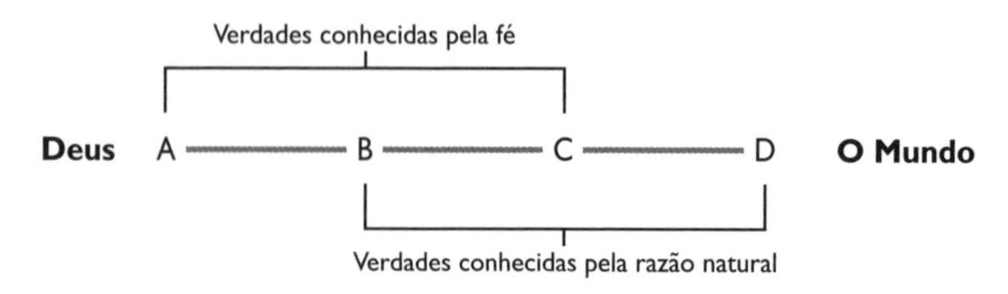

PROVAS DA EXISTÊNCIA DE DEUS

Ao longo da vida, Aquino escreveu um número inacreditável de textos filosóficos sobre diversos temas, que variaram entre filosofia natural e o trabalho de Aristóteles até teologia e a Bíblia. Seu mais famoso e extenso trabalho, *Suma teológica*, oferece a mais detalhada visão da filosofia desse filósofo. Ele começou a escrever a obra por volta de 1265 e trabalhou nela até sua morte em 1274.

A *Suma teológica* é dividida em três partes, cada uma delas com suas subdivisões. Na Parte 1, encontra-se o texto filosófico mais famoso de Aquino, "As cinco vias". Nele, estabelece as provas da existência de Deus.

Aquino começa reconhecendo que, embora a filosofia não seja um pré-requisito para promover o conhecimento sobre Deus, ela pode apoiar a teologia. A seguir, ele tenta responder às seguintes perguntas:

1. A existência de Deus é autoevidente?
2. A existência de Deus pode ser demonstrada?
3. Deus existe?

Aquino, então, apresenta as cinco provas que demonstram a existência de Deus. Em "As cinco vias", ele combina as ideias da teologia com o pensamento racional e as observações do mundo natural para provar a existência de Deus.

Prova 1: O Argumento do Motor Imóvel

Podemos ver que existem coisas que estão em movimento neste mundo. Qualquer coisa que esteja em movimento foi posta em movimento por algo mais que estava em movimento. E esse objeto está em movimento porque foi posto em movimento por outro que estava em movimento, e assim por diante. No entanto, isso não pode retroceder infinitamente porque não haveria o motor original (e, então, não haveria o movimento subsequente). Portanto, tem de haver um motor imóvel no início, que seja entendido como Deus.

Prova 2: O Argumento da Primeira Causa

Tudo é causado por algo e nada pode causar a si mesmo. Toda causa é resultado de uma causa prévia, que é resultado de outra causa prévia anterior. Isso não pode retroceder infinitamente porque, se não houver causa inicial, então, não haverá as causas subsequentes. Portanto, tem de haver uma primeira causa não causada, que seja entendida como Deus.

Prova 3: O Argumento da Contingência

Observamos na natureza que as coisas passam a existir e, então, deixam de existir. Tudo o que existe, porém, deriva de algo que já existe e, se fosse possível para algo não existir, então, isso não existiria antes e não existiria agora. Portanto, deve existir um ser cuja existência não dependa da existência de outros, e isso deve ser entendido como Deus.

Prova 4: O Argumento do Grau

Notamos que as características dos seres são expressas em graus variados (mais alto, mais baixo; mais nobre, menos nobre). Essa variação de grau é comparada com um máximo (o mais nobre, o melhor) e, de acordo com Aristóteles, o melhor estado do ser é quando ele atinge o melhor estado da verdade (o máximo). Portanto, tem de haver uma causa para a perfeição que encontramos nos seres e essa perfeição, ou máximo, deve ser entendida como Deus.

Prova 5: O Argumento Teleológico[3]

Percebemos que existem objetos sem inteligência e inanimados na natureza que agem na direção de um propósito, mesmo que esses objetos não tenham consciência disso (como a cadeia alimentar ou os processos dos órgãos sensoriais). Embora sem consciência, esses objetos agem claramente para um propósito de acordo com um plano específico e, dessa maneira, tem de haver um ser que os guia e que tenha conhecimento para direcioná-los para seus propósitos. Isso é entendido como Deus.

ÉTICA E AS VIRTUDES CARDEAIS

Na segunda parte da *Suma teológica*, Aquino cria um sistema ético com base no trabalho de Aristóteles, também acreditando que uma vida boa é aquela que busca alcançar o mais alto fim. Como Aristóteles, Aquino também fala em virtude. Para ele, existem as virtudes cardeais das quais derivam todas as outras, que são as seguintes: justiça, prudência, coragem e temperança.

Embora essas virtudes cardeais formem a base da vida moral, para Aquino, elas não bastam para que um indivíduo alcance a verdadeira plenitude. Enquanto Aristóteles propõe que o mais alto fim é a felicidade e que o meio para atingi-la é a virtude, Aquino acredita que o mais alto fim é a bem-aventurança eterna, que é

3 **Teleologia** — o estudo das finalidades, do mundo como um sistema de relações entre meios e fins. (N.T.)

alcançada na união com Deus depois da vida. É vivendo com base nas virtudes cardeais que uma pessoa caminha na direção da verdadeira plenitude.

Aquino distingue ainda entre a felicidade eterna, que só pode ser atingida depois da vida, e a felicidade imperfeita, que pode ser alcançada nesta vida. Como a felicidade eterna é a união com Deus, existe somente a felicidade imperfeita nesta vida, pois nunca saberemos tudo que há para saber sobre Deus nesta vida.

O IMPACTO DE SÃO TOMÁS DE AQUINO

Tomás de Aquino teve um impacto profundo na filosofia ocidental. Durante sua vida, a Igreja estava extremamente influenciada pelos trabalhos de Platão e havia relegado a importância de Aristóteles. Aquino, porém, redescobriu Aristóteles e incorporou o trabalho dele à ortodoxia católica, mudando para sempre os rumos da filosofia ocidental. Em 1879, os ensinamentos de Tomás de Aquino tornaram-se parte integrante da doutrina oficial da Igreja por determinação do Papa Leão XIII.

DETERMINISMO PURO

Não existe livre-arbítrio

Como para o determinismo puro todo evento tem uma causa, essa teoria filosófica afirma que todas as ações humanas são predeterminadas e, dessa forma, as escolhas feitas pelo livre-arbítrio não existem. Apesar de parecer racional, a afirmação de que nada pode ocorrer sem uma causa leva à conclusão de que ninguém age livremente e isso provocou muito debate no mundo filosófico.

OS QUATRO PRINCÍPIOS DO LIVRE-ARBÍTRIO E O DETERMINISMO

Para entender melhor o determinismo puro, é necessário analisar os quatro princípios gerais que envolvem a discussão entre o livre-arbítrio e o determinismo.

1. **Princípio da causalidade universal**: afirma que todo evento tem uma causa. Em outras palavras, se "X causa Y" for verdade, então X e Y são eventos; X precede Y; e, se X acontece, Y tem de ocorrer também.
2. **Tese do livre-arbítrio**: afirma que às vezes as pessoas agem livremente.
3. **Princípio da evitação e da liberdade**: se uma pessoa age livremente, então, ela poderia ter feito algo de modo diferente do que fez na realidade. Contudo, se ninguém poderia ter agido de modo diferente do que realmente fez, então, ninguém nunca age livremente.
4. **Princípio auxiliar**: afirma que, se todo evento tem uma causa, então, ninguém poderia ter agido de modo diferente daquele que fez de fato. No entanto, se às vezes a pessoa poderia ter feito algo diferente do que realmente fez, então, alguns eventos não têm causa.

Embora inicialmente os quatro princípios pareçam ser intuitivamente plausíveis e seja possível defender a crença em cada um deles, em última instância, fica aparente que eles não são compatíveis entre si. Em outras palavras, nem todos os princípios podem ser verdadeiros. Como consequência, muito debate filosófico foi dedicado a determinar quais desses princípios eram verdadeiros e quais eram falsos.

O determinismo puro responde a essa incompatibilidade, aceitando o princípio da causalidade universal, o princípio da evitação e da liberdade e o princípio auxiliar como verdadeiros e rejeitando como falsa a tese do livre-arbítrio:

- **Premissa 1:** todo evento tem uma causa (princípio da causalidade universal).
- **Premissa 2:** se todo evento tem uma causa, então, ninguém poderia ter feito nada diferente do que fez de fato (primeira parte do princípio auxiliar).
- **Premissa 3:** se ninguém poderia ter feito nada diferente do que realmente fez, então, ninguém age livremente (segunda parte do princípio de evitação e da liberdade).
- Assim, ninguém nunca age livremente (negação da tese do livre-arbítrio).

A Premissa 1 é a tese do determinismo: todo evento está sujeito à lei da causalidade. O fundamento dessa premissa apela para o bom senso; parece impossível sequer imaginar o que significaria que um evento não tem causa. A Premissa 2 define a causalidade: se um evento é causado, então, ele tem de acontecer. E, se tem de ocorrer, então, nada mais poderia ter acontecido em seu lugar. A Premissa 3 simplesmente expressa o entendimento de "liberdade". Com certeza, se uma ação tem de acontecer, a pessoa que cometeu a ação não teve escolha e, portanto, não agiu livremente.

ARGUMENTOS CONTRA O DETERMINISMO PURO

A seguir, diversas abordagens tentam refutar o determinismo puro.

Argumento da escolha

Um argumento contra o determinismo puro é o da escolha, que afirma o seguinte:

- **Premissa 1**: às vezes, nós fazemos o que escolhemos fazer.
- **Premissa 2**: se às vezes nós escolhemos o que fazer, então, às vezes, agimos livremente.
- **Premissa 3**: se às vezes agimos livremente, então, o determinismo puro é falso.
- Portanto, o determinismo puro é falso.

A Premissa 1 define a escolha como uma decisão ou evento mental e seu fundamento é a simples observação; nós vemos as pessoas fazendo escolhas diariamente. Por exemplo, as pessoas escolhem que roupas vestir, que alimentos comer, que horas se levantar da cama, e tantas outras coisas. A Premissa 2 determina que "agir livremente" é escolher o que faremos. Se alguém escolhe fazer algo, o fato de fazer uma escolha significa que age livremente. A Premissa 3 é a negação do determinismo puro.

Como o "argumento da escolha" é válido, de início parece ser uma objeção sólida ao determinismo puro. Uma análise mais aprofundada da definição da liberdade de ação, no entanto, demonstra que o argumento da escolha é inconsistente. Como ele não nega que os eventos são causados, cada uma de suas afirmações está sujeita à lei da causalidade. Com isso em mente, fica evidente que o principal problema desse argumento é seu salto da primeira para a segunda premissa.

Embora as pessoas façam, de fato, o que parecem ser escolhas sobre diversos aspectos da vida, isso não quer dizer que ajam livremente. Uma escolha é um evento causado. Dessa forma, a escolha de uma pessoa para agir de uma maneira não é, em si mesma, a única ou a primeira causa dessa ação; é, ao contrário, o último evento de um conjunto de condições que causou aquela ação. Uma pessoa pode escolher usar uma camiseta vermelha, mas a escolha dela para fazê-lo, em si, foi causalmente determinada. Apesar de as causas das escolhas de uma pessoa serem "internas e invisíveis" e, às vezes, desconhecidas, elas existem de fato. O cérebro tem de reagir exatamente da maneira que reagiu porque a escolha feita era um evento determinado. De acordo com o filósofo Paul Rée, a pessoa escolhe vestir a camiseta vermelha porque existem "as causas cujo histórico de desenvolvimento pode ser rastreado *ad infinitum*". Mesmo que alguém pense que poderia ter agido de outra maneira, é somente sob diferentes — talvez até extremamente sutis — condições ou causas que poderia ter feito algo diferente. Assim, como uma escolha é um evento causado, ela é predeterminada e tem de acontecer. Como a escolha tem de ocorrer, não é um ato do livre-arbítrio.

Argumento da resistência

Um segundo ponto contra o determinismo puro é o "argumento da resistência", definido da seguinte forma:

- **Premissa 1**: às vezes, nós resistimos às nossas paixões.
- **Premissa 2**: se, às vezes, resistimos às nossas paixões, então, às vezes, agimos livremente.
- **Premissa 3**: se, às vezes, agimos livremente, então, o determinismo puro é falso.
- Portanto, o determinismo puro é falso.

A Premissa 1 é uma observação simples; as pessoas têm, por exemplo, paixões ou o desejo de matar alguém, cometer adultério ou dirigir perigosamente. Elas, porém, são capazes de evitar o envolvimento nesse tipo de atividade. A Premissa 2 define "agir livremente". A pessoa age livremente se for capaz de escolher agir de uma maneira que não ceda às paixões. A premissa sugere que, ao resistir às paixões, a pessoa é capaz de evitar o número infinito de causas históricas e, por fim, agir livremente. A Premissa 3 é a negação do determinismo puro.

Como o "argumento da escolha", o "argumento da resistência" não nega que todo evento tem uma causa e, portanto, é válido, mas inconsistente. A objeção mais forte contra esse argumento é a negação da Premissa 2; embora as pessoas sejam capazes de resistir às paixões, isso não implica que estejam agindo livremente. Por exemplo, uma pessoa pode resistir ao desejo de matar alguém. No entanto, assim como cometer um assassinato tem uma causa, do mesmo modo, *não matar* também tem. A pessoa pode resistir ao desejo de matar porque outro desejo — não querer ser punido por suas ações ou por piedade do destino da vítima — causa essa escolha. Uma pessoa nunca conseguirá resistir a todas as suas paixões. Pela definição de *livre-arbítrio* dada pelo "argumento da resistência", dessa forma, uma pessoa nunca agirá livremente. Além disso, a resistência está igualmente sujeita à lei da causalidade. Não é apenas a causa de não assassinar; é um evento e, portanto, o efeito de alguma outra causa. Se a pessoa consegue resistir a cometer um assassinato, ela está predeterminada a resistir a isso e não poderia agir de nenhuma maneira diferente. Em última instância, resistir às paixões não liberta uma pessoa das leis da causalidade.

Argumento da responsabilidade moral

A terceira refutação do determinismo puro é o "argumento da responsabilidade moral" e afirma o seguinte:

- **Premissa 1**: às vezes, somos moralmente responsáveis por nossas ações.
- **Premissa 2**: se, às vezes, somos moralmente responsáveis por nossas ações, então, às vezes, agimos livremente.
- **Premissa 3**: se, às vezes, agimos livremente, então, o determinismo puro é falso.
- Portanto, o determinismo puro é falso.

O argumento define a responsabilidade moral da seguinte maneira: X é moralmente responsável pela ação A se X merece elogio ou punição por ter feito A. A Premissa 1 é uma simples observação; nosso bom senso diz que, se uma pessoa comete assassinato, ela deve ser responsabilizada e punida. Se, por outro lado, a pessoa salva a vida de outra, ela deve ser elogiada por ter feito isso. A Premissa 2 define "agir livremente". Se alguém merece elogio ou punição por uma ação, é apenas racional que tenha escolhido livremente agir da maneira como agiu. Porque, se não houvess agido livremente, então, a pessoa não mereceria elogio ou punição. A Premissa 3 é a negação do determinismo puro.

O "argumento da responsabilidade moral", assim como os dois anteriores, é válido, embora inconsistente. Ele pressupõe que, ao "merecer" elogio ou punição por uma ação, a pessoa deve ser a única causa da ação. Em outras palavras, uma pessoa não "merece" elogio se foi forçada (pela causa) a agir com gentileza e também não "merece" punição se foi forçada a agir com crueldade. Contudo, como esse argumento aceita que os eventos são causados, então, também deve aceitar que as ações que parecem merecer elogio ou punição são, elas mesmas, causadas por eventos; uma pessoa não pode ser a única causa de um evento.

Assim, o principal problema desse argumento é a sua primeira premissa; embora haja circunstâncias nas quais pareça lógico que uma pessoa seja elogiada ou punida, na verdade, não é fato que ela seja sempre moralmente responsável por suas ações. Se uma pessoa comete um assassinato, ela não teve escolha a não ser cometê-lo. O assassinato era um evento causado e tinha de ocorrer. Se o assassinato tinha de acontecer, então, o assassino não merece elogio ou punição por sua ação. Dessa forma, para argumentar a favor da responsabilidade moral, seria preciso afirmar que alguns eventos não têm causa, uma noção que vai contra nosso bom senso.

Muitos filósofos responderam à rejeição da Premissa 1, enfatizando as implicações que ela tem sobre nosso atual sistema judiciário. Se nós negarmos a existência da responsabilidade moral — eles alegam —, então, não há justificativa para punições e, assim, deveríamos abolir o uso das prisões e dos centros penitenciários. Um determinista puro consideraria essa conclusão uma imprudência; embora a responsabilidade moral possa não existir, existem, sem dúvida, outras justificativas importantes para as punições. Por exemplo, o sistema prisional pode servir como medida de segurança, um elemento dissuasor de violência, um centro de reabilitação ou uma forma de satisfazer os ressentimentos das vítimas. O próprio fato de os eventos serem causados viabiliza a crença de que as prisões podem bem ser a causa da redução da violência. O desejo de não ser punido pode ser um dos eventos de um conjunto de condições que previnem que alguém mate outra pessoa.

O determinismo puro afirma que nada acontece sem uma causa, que nenhuma ação está livre da lei da causalidade. E, apesar de haver muitos argumentos contra essa teoria, em última instância, todos falharam na refutação do determinismo puro.

JEAN-JACQUES ROUSSEAU (1712-1778)

Combatente da liberdade

Jean-Jacques Rousseau nasceu em 28 de junho de 1712, em Genebra, na Suíça. A mãe dele morreu logo após o nascimento e, com cerca de 12 anos, abandonado pelo pai, passou a seguir de casa em casa, vivendo com parentes, empregados, patrões e amantes. Por volta de 1742, Rousseau, agora vivendo em Paris e trabalhando como professor e anotador de música, fez amizade com Diderot, uma das maiores figuras do Iluminismo. Finalmente, Rousseau também se tornou conhecido como um pensador-chave do Iluminismo, apesar de seu relacionamento ser complexo com os ideais e as outras figuras do movimento.

O primeiro reconhecimento público ocorreu em 1750, com o *Discurso sobre as ciências e as artes*. A Academia de Dijon realizou um concurso de ensaios sobre a questão: a restauração das ciências e das artes tende, ou não, a purificar os costumes morais? E Rousseau, que recebeu o prêmio, argumentou que a moral e a bondade estavam corrompidas pelo avanço da civilização (uma ideia que se tornaria recorrente ao longo de seus textos filosóficos posteriores). Rousseau seguiu produzindo textos notáveis (como seu famoso texto político, *Discurso sobre a origem e os fundamentos da desigualdade entre os homens*) e sua fama aumentou. Em 1762, porém, sua popularidade começou a decair com a publicação de *O contrato social* e *Emílio ou da educação*. Os livros foram recebidos com grande controvérsia e clamor, o que incluiu a queima de seus textos em Paris e Genebra, fazendo com que a monarquia francesa ordenasse sua prisão. Rousseau escapou da França e foi morar na cidade suíça de Neuchâtel, onde renunciou à cidadania de Genebra e também começou a trabalhar em sua famosa autobiografia, *Confissões*.

Ele acabou retornando à França e se refugiou com o filósofo inglês David Hume. Em 2 de julho de 1778, morreu subitamente. Em 1794, durante a Revolução Francesa, o novo governo revolucionário, cuja visão era amplamente diferente daquela da monarquia, ordenou que as cinzas de Rousseau fossem depositadas no Panteão de Paris e que ele passasse a ser lembrado como um herói nacional.

Os temas mais comuns ao longo dos textos filosóficos mais importantes de Jean-Jacques Rousseau relacionam-se às ideias de liberdade, moralidade e o estado natural. Seu trabalho lançou as bases das revoluções francesa e norte-americana e teve impacto profundo na filosofia ocidental.

DISCURSO SOBRE A ORIGEM DA DESIGUALDADE

Em um de seus mais famosos textos político-filosóficos, *Discurso sobre a origem e os fundamentos da desigualdade entre os homens*, Jean-Jacques Rousseau explica os elementos essenciais de sua filosofia. Primeiro, ele apresenta os diferentes tipos de desigualdade existentes entre as pessoas. Com base nisso, ele tenta determinar quais delas são "naturais" e quais não são (que podem ser, então, evitadas).

Rousseau acreditava que o homem, como qualquer outro animal encontrado na natureza, era motivado por dois tipos de princípios: a autopreservação e a compaixão. Em seu estado natural, o homem é feliz, necessita de pouco e não sabe nada a respeito de deus e do diabo. A única coisa que separa o homem dos outros animais é um sentido (embora irrealizado) de busca da perfeição.

É essa ideia de aperfeiçoamento que possibilita que o homem mude ao longo do tempo. Os humanos socializam com outros humanos, a mente se desenvolve e a razão começa a se formar. No entanto, a socialização leva também a um princípio que ele chama de "amor-próprio", que faz com que o homem se compare com os outros e busque dominar com o objetivo de produzir felicidade para si mesmo.

Conforme as sociedades humanas se tornaram mais complexas e o amor-próprio desenvolveu-se, elementos como a propriedade privada e a divisão do trabalho possibilitaram a exploração dos pobres. Os menos favorecidos, então, passaram a lutar pelo fim dessa discriminação, começando uma guerra com os ricos. Por sua vez, os ricos ludibriaram os pobres com a criação de uma sociedade política que clama por oferecer igualdade. No entanto, essa igualdade não é oferecida e, em vez disso, a opressão e a desigualdade tornaram-se fatores permanentes da sociedade.

As desigualdades naturais de Rousseau

De acordo com Rousseau, as únicas desigualdades naturais são as diferenças de força física, pois são derivadas do estado natural. Na sociedade moderna, o homem é corrompido e as desigualdades resultantes das leis e da propriedade não são naturais e não devem ser toleradas.

O CONTRATO SOCIAL

Talvez Jean-Jacques Rousseau seja mais conhecido por seu livro, *O contrato social*, no qual afirmou celebremente: "Os homens nascem livres, embora estejam acorrentados em todos os lugares". De acordo com ele, quando o homem é colocado na sociedade, está em completa liberdade e estado de igualdade. Contudo, a sociedade civil atua com suas correntes e suprime a liberdade inerente ao ser humano.

Para Rousseau, a única forma legítima de autoridade política é aquela em que todas as pessoas tenham concordado em torno de um governo com o objetivo da preservação mútua através de um contrato social. Ele se refere a esse grupo como o "soberano", que deve sempre expressar as necessidades coletivas das pessoas e oferecer o bem comum a todos, independentemente das opiniões e dos desejos individuais (ele denomina isso de "vontade geral"). A vontade geral também fundamenta a criação das leis.

Rousseau não relega a importância do governo e compreende que poderia haver algum desacordo entre o "soberano" e o governo (seja a autoridade monárquica, aristocrática ou democrática). Para amenizar essas tensões, ele propõe que o soberano realize assembleias periódicas e vote com base na vontade geral. As assembleias devem contar com a participação do povo do soberano, pois, para não perder sua soberania, uma vez eleitos, esses representantes devem estar presentes, sendo que as votações praticamente unânimes significam um Estado realmente saudável. Além disso, Rousseau defende que deve existir uma corte para mediar os conflitos entre os indivíduos e entre o governo e o grupo soberano.

O contrato social é um dos livros mais importantes da filosofia ocidental. Em uma época de desigualdade política, ele tornou claro que o direito do governo era governar de acordo com o "consenso dos governados". Suas ideias radicais a respeito dos direitos do homem e da soberania do povo são frequentemente reconhecidas como a base fundamental dos direitos humanos e dos princípios democráticos.

O PROBLEMA DO VAGÃO

Enfrentando as consequências

Imagine a seguinte situação:

Um vagão fica sem o controle dos freios e o condutor não consegue parar o trem, enquanto a máquina corre pelos trilhos em alta velocidade em uma descida muito íngreme. Um pouco mais abaixo na montanha, você está parado e assiste a tudo. Nota que, um pouco mais além de onde está parado, cinco homens trabalham sobre os trilhos. O vagão está correndo exatamente na direção deles. Se nada for feito, aqueles cinco homens morrerão, com certeza.

Bem perto de você, está uma alavanca que fará o vagão passar para outro trilho. No entanto, há uma pessoa sobre esse outro trilho. Se você mudar a direção do vagão, os cinco trabalhadores do primeiro trilho sobreviverão; mas aquela pessoa que está no segundo trilho morrerá. O que você faz?

Agora imagine este outro cenário:

Você está parado em uma ponte e vê o vagão perder o controle e disparar ladeira abaixo. No final do trilho, estão os cinco trabalhadores fadados a morrer. Desta vez, não existe alavanca para mover o vagão para outro trilho. Ele vai passar por baixo da ponte onde você está, e, se puder derrubar um peso razoável diante dele, conseguirá pará-lo. Porém você está parado perto de um homem muito gordo e se dá conta de que a única maneira de impedir que o vagão mate aqueles cinco homens é empurrar o gordo de cima da ponte sobre os trilhos. Como resultado, você matará o homem gordo. O que você faz?

O problema do vagão, que continua a ser fonte de debate até hoje, foi apresentado pela primeira vez em 1967, pela filósofa britânica Philippa Foot, e ampliado depois pela filósofa norte-americana, Judith Jarvis Thomson.

O problema do vagão é uma crítica perfeita do consequencialismo, que é a visão filosófica de que uma ação é moralmente correta quando produz as melhores consequências gerais. A teoria tem dois princípios básicos:

1. Uma ação é certa ou errada com base unicamente em seus resultados.
2. Quanto mais consequências positivas uma ação produzir, melhor e mais correta será.

Embora o consequencialismo possa oferecer diretrizes para como uma pessoa deve viver (devemos viver a fim de maximizar as consequências positivas) e como deve reagir diante de dilemas morais, a teoria enfrentou uma dose razoável de críticas.

Com o consequencialismo, verificou-se ser desafiador prever as consequências futuras de uma ação. Como alguém pode avaliar a moralidade de uma consequência? Essa avaliação deveria ser baseada naquilo que o indivíduo acredita que vá acontecer ou no que realmente aconteceu? Há também questões sobre como mensurar e comparar as consequências que são moralmente "boas". De acordo com o hedonismo, uma forma de consequencialismo, o bem é medido pelo prazer; enquanto no utilitarismo, outro tipo de consequencialismo, o bem é mensurado pela prosperidade e pelo bem-estar.

No problema do vagão, começamos a ver como o consequencialismo é revelador. Na primeira situação, uma das formas do utilitarismo afirma que, moralmente falando, puxar a alavanca é a melhor escolha. Contudo, outro tipo de utilitarismo propõe que, já que algo moralmente ruim está acontecendo, puxar a alavanca seria moralmente errado, porque, assim, você se tornaria parcialmente responsável pela morte de uma pessoa ou pessoas, enquanto antes não era.

Na segunda situação, muitas pessoas que estavam dispostas a puxar a alavanca não gostariam de atirar o homem gordo de cima da ponte na frente do vagão em disparada. Apesar de as consequências em ambas as situações continuarem as mesmas (você escolhe salvar os cinco trabalhadores e uma pessoa morre), parece haver uma diferença moral entre simplesmente puxar a alavanca e realmente atirar uma pessoa de cima da ponte.

A DOUTRINA DO DUPLO EFEITO

O problema do vagão é baseado em um princípio conhecido como a doutrina do duplo efeito. Esse princípio, apresentado inicialmente por Tomás de Aquino, é a noção de que uma ação pode ser moralmente permissível até quando uma de suas consequências é moralmente ruim. As consequências negativas dessas ações são previstas, como no problema do vagão, no momento do tempo em que você percebe que um homem morrerá se puxar a alavanca.

Portanto, se prejudicar os outros é considerado imoral, e nós podemos prever que uma das consequências prejudicará alguém, a pessoa que puxa a alavanca está moralmente errada?

De acordo com a doutrina do duplo efeito, um indivíduo pode desempenhar moralmente uma ação que leve a consequências prejudiciais previstas, se as quatro condições a seguir forem atendidas:

1. **Deve haver a intenção das consequências positivas.** A boa consequência jamais deve ser usada como uma desculpa para a má consequência, portanto, nunca deve existir a intenção de que a consequência negativa ocorra.
2. **A ação em si mesma deve ser moralmente neutra ou boa e nunca moralmente errada.** Portanto, se você isolar a ação das boas e das más consequências, ela nunca deve ser negativa.
3. **A boa consequência deve ser resultado direto da ação e não resultado indireto da má consequência.** Uma consequência moralmente positiva nunca pode ocorrer porque inicialmente a ação gerou uma consequência negativa.
4. **A má consequência nunca pode prevalecer sobre a boa consequência.** Mesmo que a intenção tenha sido positiva, se o resultado leva a uma consequência negativa, sobrepujando a boa consequência, então, a condição foi violada.

Um exemplo comum da vida real da doutrina do duplo efeito é quando alguém mata em defesa própria. Se uma pessoa mata quem a estava atacando, a ação é moralmente permissível porque a boa consequência supera a má consequência prevista (matar outra pessoa).

A doutrina do duplo efeito é rejeitada pelos consequencialistas, porque, de acordo com a teoria aceita por eles, não há relevância na intenção da pessoa; somente as consequências de suas ações importam.

As questões de moralidade propostas pelo problema do vagão provocam debates no mundo filosófico até hoje.

REALISMO

A teoria dos universais

O realismo é a teoria que afirma que os universais existem no mundo independente da mente e da linguagem.

Definições filosóficas

UNIVERSAIS: apresentada primeiramente por Platão, a ideia dos universais se refere às características repetidas e comuns que existem no mundo e que, geralmente, são divididas em duas categorias: propriedades (ter ângulos retos, por exemplo) e qualidades (ser semelhante). Embora poucas — quando existem — propriedades e qualidades sejam compartilhadas por tudo, os realistas afirmam que os universais revelam genuínos pontos comuns da natureza e proporcionam a ordem sistemática do mundo.

Portanto, de acordo com o realismo, uma maçã vermelha e uma cereja vermelha contam com uma essência universal de "vermelhidão". Eles consideram que a propriedade de "vermelhidão" existe verdadeiramente, mesmo que não haja mentes para percebê-la. Nesse exemplo, a maçã e a cereja são particulares. Em outras palavras, elas não são universais por si mesmas, mas são consideradas representantes de um deles (vermelhidão).

TIPOS DE REALISMO

Existem diversos tipos de realismo que abordam moralidade, política, religião, ciência e metafísica. As duas formas mais conhecidas de realismo são as seguintes:

1. **Realismo extremo**: esse é o tipo mais antigo de realismo e, inicialmente, foi criado por Platão. De acordo com ele, os universais (aos quais ele se refere como as Formas) são imateriais e existem fora do espaço e do tempo.
2. **Realismo forte**: esse tipo de realismo rejeita a ideia das Formas de Platão e, em vez disso, afirma que os universais não existem apenas no espaço e no tempo; eles também podem existir em muitas entidades ao mesmo tempo. A vermelhidão da maçã e da cereja é, na verdade, a mesma vermelhidão universal e não distinta de entidade para entidade.

O realismo pretende responder ao "problema dos universais", cuja principal questão é, em primeiro lugar, se os universais existem, ou não.

OBJEÇÕES AO REALISMO

O realismo é um tema muito debatido em filosofia. Embora haja muitas objeções à teoria, os argumentos apresentados fazem pouco para refutar inteiramente o realismo e não podem ser aplicados para negar a existência dos universais.

Argumento da estranheza

O "argumento da estranheza", do filósofo Bertrand Russell, afirma:

- **Premissa 1**: os universais são entidades extremamente estranhas (afinal, a própria natureza e existência deles são esquisitas e difíceis de identificar).
- **Premissa 2**: se os universais são entidades extremamente estranhas, então, eles não existem.
- **Premissa 3**: se os universais não existem, então, o realismo é falso.
- Portanto, o realismo é falso.

Em seu livro *Os problemas da filosofia*, Russell descreve a relação entre dois lugares: "Edimburgo fica ao norte de Londres". Essa relação parece existir independentemente da percepção humana. Russell afirma, porém, que existem objeções a essa conclusão; os antirrealistas (aqueles adeptos da crença de que não há nada fora da mente e, mesmo que houvesse, nós não seríamos capazes de acessar sua existência) alegam que os universais não existem no mesmo sentido dos objetos físicos ou particulares.

Embora seja fácil dizer onde e quando Londres existe (em uma parte específica da Terra desde o tempo em que foi criada até o momento em que for destruída), é impossível afirmar o mesmo em relação a "ao norte de", porque essa entidade não existe no tempo e no espaço. Sendo assim, como afirma a primeira premissa do argumento, é racional acreditar que os universais são entidades muito estranhas. O argumento avança dizendo que, como os universais são estranhos, eles não existem em nenhum sentido espaço-tempo e, então, não existem de maneira nenhuma (Premissa 2). Como é impossível dizer quando e onde um universal está, é lógico negar a existência deles. Se os universais realmente não existem, então, a teoria que declara a existência deles, o realismo, é falsa (Premissa 3). A Premissa 3 é a negação do realismo.

Como o "argumento da estranheza" é válido, parece, de início, ser uma objeção consistente ao realismo. Uma análise mais profunda dessa definição de existência, porém, demonstra que o argumento é bem menos sólido. O principal problema com esse argumento também é o salto dado da primeira para a segunda premissa. Embora os universais possam parecer mesmo estranhos e não existam no domínio do espaço-tempo, isso não significa que definitivamente eles não existem. Ao que parece, é racional encarar a existência no espaço-tempo como o único tipo de existência, mas não é o caso. Na verdade, enquanto os objetos físicos, os pensamentos e as emoções existem, é possível dizer que os universais subsistem. Os universais mais subsistem do que existem (significando que existem sem o espaço-tempo), afirma Russell, porque eles são atemporais e imutáveis. Em última instância, embora os universais existam de uma maneira estranha, eles, de fato, existem.

Problema da individuação

A segunda objeção ao realismo é chamada de "problema da individuação" e afirma:

- **Premissa 1**: se o realismo é verdadeiro, então, os universais existem.
- **Premissa 2**: se os universais existem, então, é possível individuar os universais.
- **Premissa 3**: não é possível individuar os universais.
- Sendo assim, a realismo não é verdadeiro.

Individuar um universal significa estabelecer um "critério de identidade" para esse universal. Em outras palavras, individuar um universal quer dizer necessariamente estabelecer uma verdade, sem fazer afirmações circulares.[4]

A primeira premissa simplesmente reafirma a teoria do realismo. A Premissa 2 declara que, se os universais existem, então, deve ser possível conhecer a forma deles (da mesma maneira, alguém pode afirmar, por exemplo, que X é o mesmo evento que Y, se, e somente se, X e Y compartilham a mesma causa e o mesmo efeito). Na tentativa de individuar um universal, o resultado é um argumento circular para provar, assim, que a Premissa 3 é verdade.

Como o "argumento da estranheza", o "problema da individuação" é um argumento válido, mas inconsistente. Existe a possibilidade de que um dia os universais possam ser, de fato, individuados, mas nós ainda não determinamos um modo

---

4 Os argumentos circulares são falaciosos, pois se, para provar "X", uma das hipóteses usa a afirmação "X", então, não é possível chegar a uma conclusão. O argumento é inválido porque toda conclusão "X" pode ser facilmente deduzida de "X". (N.T.)

para articular a forma deles. Então, a menos que o "problema da individuação" consiga provar que os universais não serão jamais individuados em algum ponto do futuro, em vez de simplesmente afirmar que eles nunca foram individuados no passado, esse argumento não tem mérito lógico.

IMMANUEL KANT (1724-1804)

A razão humana e o pensamento moderno

Immanuel Kant foi um dos mais importantes filósofos que já existiram, pois seu trabalho mudou para sempre a estrutura da filosofia ocidental. Nascido em 22 de abril de 1724, em Königsberg, na Prússia oriental, veio de uma família grande e modesta. Durante seu crescimento, o popular movimento protestante chamado pietismo exerceu forte influência na vida familiar (e, na sequência, influenciaria seu trabalho).

Aos 8 anos, Kant frequentou o Collegium Fridericianum, onde estudou classicismo. Ele permaneceu nessa escola até 1740, quando se inscreveu na universidade de Königsberg para estudar matemática e filosofia. Quando o pai morreu em 1746, ficou repentinamente sem dinheiro e começou a trabalhar como tutor para pagar a própria educação. Ele passou sete anos nesse trabalho e foi durante esse período que publicou muitas de suas ideias filosóficas.

Ele trabalhou como conferencista na Universidade de Königsberg por quinze anos até que, finalmente, em 1770, tornou-se professor de lógica e metafísica. Aos 57 anos, Kant publicou a *Crítica da razão pura*, que é um dos mais importantes textos filosóficos já escritos. Nesse livro, detalhou como a mente humana organiza as experiências de duas formas: como o mundo aparece aos nossos olhos e como a pessoa pensa sobre o mundo.

Kant continuou a trabalhar na Universidade de Königsberg e escreveu grandes textos filosóficos pelos próximos 27 anos. No entanto, como se espalhou a informação de seus métodos pouco ortodoxos no ensino dos textos religiosos, o governo prussiano começou a pressioná-lo. Em 1792, o rei da Prússia o proibiu de escrever ou ensinar temas religiosos. Kant obedeceu a proibição até a morte do soberano, cinco anos mais tarde.

Ele ensinou na mesma universidade até sua aposentadoria em 1796. Embora sua vida tenha sido relativamente comum, a contribuição de Kant para a filosofia foi extraordinária.

AS CRÍTICAS A IMMANUEL KANT

O trabalho de Immanuel Kant é imenso e incrivelmente complexo. No entanto, o tema recorrente em todo o seu trabalho é o uso de um método crítico para compreender e entrar em acordo com os problemas filosóficos. Ele acreditava que, em filosofia, não se podia especular a respeito do mundo ao nosso redor; em vez disso, devemos todos criticar nossas próprias habilidades mentais. Devemos investigar tudo aquilo que nos é familiar, compreender os limites de nosso conhecimento e determinar como nossos processos mentais afetam o juízo que fazemos sobre tudo. Em vez de especular sobre o universo ao nosso redor, considerava que, ao olhar para dentro de nós mesmos, descobriríamos as respostas para muitas das questões filosóficas. Assim, Kant desloca-se da metafísica em direção à epistemologia (o estudo do conhecimento).

Idealismo transcendental

Para entender a filosofia do idealismo transcendental de Kant, é preciso antes conhecer a distinção que ele faz entre fenômeno e número.

Definições filosóficas

FENÔMENOS: de acordo com Kant, os fenômenos são as realidades e as aparências interpretadas por nossa mente. **NÚMENOS**: esses, segundo Kant, são as coisas que existem independentemente da interpretação de nossa mente.

Kant afirma que nós só temos a habilidade de conhecer o mundo que nos é apresentado por nossa mente e que o mundo exterior nunca poderá ser realmente conhecido. Em outras palavras, o único conhecimento que temos, e sempre teremos, é o conhecimento dos fenômenos. Isso significa que o conhecimento do número é, e sempre será, desconhecido.

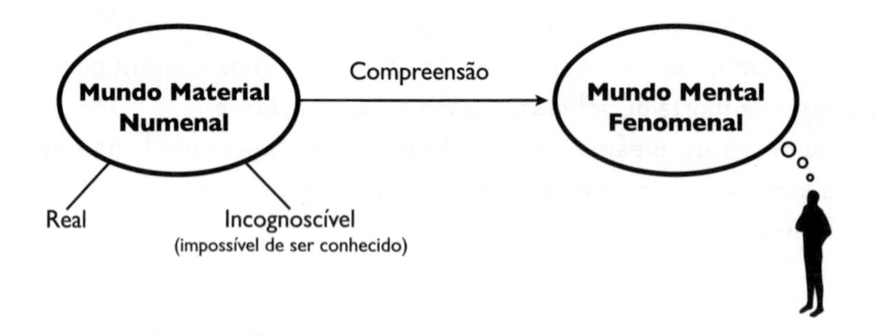

Em filosofia, o idealismo se refere a diversas noções que compartilham a crença de que o mundo não é composto por coisas físicas, mas por ideias mentais. No idealismo transcendental de Kant, no entanto, ele não nega que a realidade externa exista. Nem assume que as coisas sejam menos fundamentais que as ideias. Em vez disso, Kant afirma que nossa mente contextualiza e limita a realidade e que nós nunca seremos capazes de transcender essas limitações.

A priori sintético

Kant tenta responder à seguinte questão: se a natureza da experiência é individual e particular (por exemplo, cada um de nós experiencia a visão e o som individualmente), então, como pode haver verdades universais a partir da experiência? Como podemos inferir causa e efeito, quando nunca experienciamos (ver, cheirar, tocar etc.) a lei da causalidade?

Kant distingue dois tipos de proposição:

1. **Proposição analítica**: é quando o conceito está contido no próprio sujeito. Por exemplo, "todos os quadrados têm quatro cantos". Nessa sentença, os quatro cantos são parte da definição de quadrado.
2. **Proposição sintética**: é quando o conceito não está contido no próprio sujeito. Por exemplo, "todas as mulheres são felizes". Nessa sentença, a felicidade não é parte da definição de mulher.

Kant, então, distingue mais dois tipos de proposição:

1. **Proposição *a priori***: é quando a justificação de uma proposição não se baseia em uma experiência. Por exemplo: "8 + 6 = 14" ou "todos os ratos são roedores".
2. **Proposição *a posteriori***: é quando a justificação de uma proposição baseia-se na experiência. Por exemplo, a proposição "todas as mulheres são felizes" exige experiência para dizer se isso é verdadeiro ou não.

Kant pergunta como pode ser possível o conhecimento sintético *a priori* (em outras palavras, como alguém pode saber que algo é universal e necessário sem ser por definição ou autoevidência)? Kant conclui que o conhecimento sintético *a priori* é, de fato, possível. E eis como:

De acordo com ele, a experiência é organizada em nossa mente com base em determinadas categorias. Essas categorias, então, tornam-se funcionalidades da experiência, que são necessárias e universais. Por exemplo: não é que não encontramos a causalidade na natureza. Em vez disso, a causalidade é uma funcionalidade em nossa mente, portanto, sempre a percebemos. Nós não podemos *não* encontrar a causalidade. O *a priori* sintético, segundo Kant, é como as pessoas desenvolvem um conhecimento substancial.

A VISÃO DE KANT SOBRE A ÉTICA

Kant era um deontologista, ou seja, ele acreditava firmemente que uma ação seria definida como moral ou imoral com base no motivo por trás dela (em oposição aos consequencialistas, que julgam a moralidade de uma ação com base em suas consequências). Para Kant, uma vez que temos a habilidade de deliberar e dar razões para uma ação, o julgamento moral deve avaliar as razões pelas quais uma ação foi tomada. Embora seja importante que nossas ações tenham boas consequências e nós devamos sempre buscar esse resultado positivo, as consequências não são afetadas pelo motivo e, assim, o motivo não é completamente responsável pela consequência de uma ação particular que foi endossada por nossa razão.

A razão só pode ser responsabilizada por endossar uma ação particular. Assim, nós só podemos julgar motivos e ações como morais ou imorais. Tendo em vista que a moralidade é determinada pela razão, isso significa que a bondade e a maldade também derivam da razão.

Kant afirma que agir erroneamente é violar as regras criadas por nossa própria razão pessoal ou criar regras que não podem ser vistas consistentemente como leis universais. Em outras palavras, a maldade é o resultado das leis da razão sendo violadas. Ao agir imoralmente, Kant considera que nos tornamos seres humanos menos racionais, enfraquecendo, assim, nossa humanidade. Só conseguimos nos impedir de agir em desacordo com nosso melhor julgamento se nos comportamos racionalmente.

DUALISMO

A mente e o corpo separados

O dualismo tenta responder o problema mente-corpo, que pergunta que relação existe entre as propriedades físicas individuais e as propriedades mentais individuais.

De acordo com o dualismo, a mente e o corpo são duas coisas separadas. Enquanto o corpo (ou matéria) é a substância física da qual um indivíduo é feito, a mente (ou alma) é a substância não física que existe em separado do corpo e inclui a consciência.

Existem três tipos principais de dualismo:

1. **Dualismo de substâncias**: as substâncias podem ser divididas em duas categorias: mental e material. De acordo com René Descartes, que criou essa famosa teoria, a substância material não tem a habilidade de pensar, e a substância mental não tem expressão no mundo físico.
2. **Dualismo de propriedades**: a mente e o corpo existem como propriedades de uma substância material. Em outras palavras, a consciência é o resultado da matéria sendo organizada de uma maneira específica (como no cérebro humano).
3. **Dualismo de predicados**: para dar sentido ao mundo, é necessário mais do que um predicado (o modo como descrevemos o tema de uma proposição). De acordo com essa teoria, os predicados mentais não podem ser reduzidos a predicados físicos. Por exemplo, na sentença "Troy é irritante", não é possível reduzir o ato de "ser irritante" a uma coisa física (predicado). "Irritante" não é definido por sua estrutura ou composição e pode parecer diferente em diversas situações.

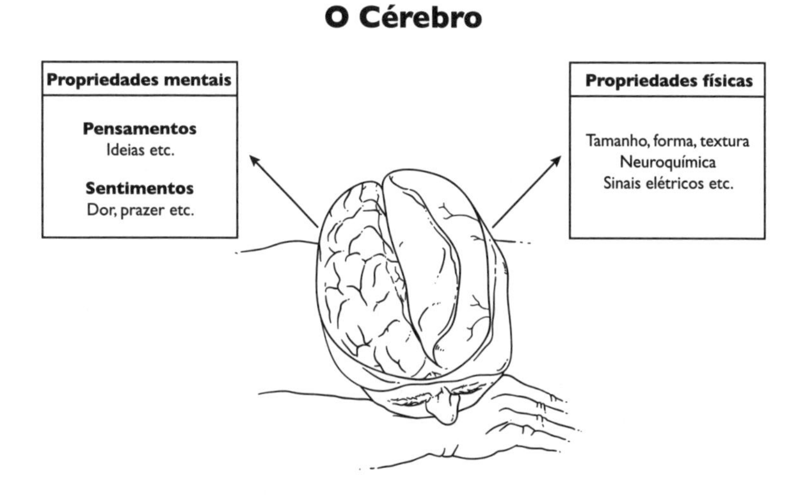

ARGUMENTOS A FAVOR DO DUALISMO

Existem diversos argumentos que apoiam as afirmações do dualismo. Particularmente, o dualismo é muito popular entre aqueles que acreditam na existência de uma alma separada do corpo físico das pessoas.

Argumento subjetivo

O argumento subjetivo é um dos mais famosos a favor do dualismo de substâncias e afirma que os eventos mentais apresentam qualidades subjetivas, enquanto os eventos físicos não. Em um evento mental, alguém pode fazer perguntas sobre como aquilo parece, sente ou soa. Mesmo que você possa ver, tocar ou ouvir os eventos físicos, quando está descrevendo a sensação de como "aquilo faz você se sentir", não é possível reduzi-la a algo físico. Ainda é uma sensação com qualidades subjetivas.

Argumento das ciências especiais

O argumento das ciências especiais apoia a noção do dualismo de predicados. Se o dualismo de predicados existe, então, "as ciências especiais" têm de existir. Essas ciências não poderiam mais ser reduzidas com as leis da física. Como a psicologia, que não pode ser reduzida pelas leis da física, existe como uma forma de ciência, isso deve implicar que a mente existe. Até mesmo a ciência meteorológica comprova a veracidade do argumento das ciências especiais, pois estudar os padrões do clima só interessa às pessoas e, assim, essa ciência pressupõe que a mente humana se importa e está interessada no clima. Dessa forma, para que o mundo material seja percebido mentalmente, deve existir uma perspectiva da mente a respeito do mundo material.

Argumento da razão

De acordo com o argumento da razão, se nossos pensamentos são simplesmente o resultado de causas físicas, então, não há motivo para acreditar que esses pensamentos sejam baseados na razão e sejam racionais. A matéria física não é racional e, ainda assim, nós, como humanos, temos razão. Dessa forma, a mente não deve simplesmente derivar de uma fonte material.

ARGUMENTOS CONTRA O DUALISMO

Existem muitos argumentos contra o dualismo; diversos deles se enquadram em uma ampla crença denominada monismo. Essa teoria afirma que, em vez de duas substâncias separadas, a mente e o corpo são parte de uma única substância.

Monismo em poucas palavras:

- **Monismo idealista (também conhecido como idealismo)**: a única substância que existe é a substância mental (consciência).
- **Monismo materialista (também conhecido como fisicalismo)**: o mundo físico é a única realidade e qualquer coisa mental deriva do físico.
- **Monismo neutro**: existe uma substância que não é física nem mental, mas da qual se originam os atributos físicos e mentais.

Argumento do dano cerebral

Esse argumento contra o dualismo questiona como a teoria funciona quando, por exemplo, ocorre um dano cerebral por traumatismo craniano, desordens patológicas ou abuso de drogas que leve ao comprometimento da habilidade mental. Se o mental e o físico fossem realmente separados um do outro, o mental não deveria ser afetado por esse tipo de evento. De fato, os cientistas descobriram que provavelmente há uma relação causal entre a mente e o cérebro e que, ao manipular ou prejudicar o cérebro, o estado mental é afetado.

Interação causal

O argumento da interação causal questiona como algo imaterial (o mental) tem a capacidade de afetar o material. Ainda está bem pouco claro onde essas interações ocorreriam. Quando você queima o dedo, por exemplo, uma série de eventos se desenrola. Primeiro, a pele é queimada; então, as terminações nervosas são estimuladas. Por fim, os nervos periféricos conduzem o estímulo a uma parte específica do cérebro e o resultado é a sensação de dor. Entretanto, se o dualismo for verdade, a dor não poderia ser localizada em um lugar particular. Contudo, a dor *é* localizada em um lugar particular, o dedo.

Além disso, a teoria da interação causal aborda como uma interação ocorre entre o físico e o mental. Vamos dizer que você mova o braço para cima e para baixo. Para isso, primeiro teve a intenção de mover o braço para cima e para baixo (o evento mental). A mensagem viaja através dos neurônios e, então, você move o braço para cima e para baixo. No entanto, o evento mental de ter a intenção de mover o braço não é suficiente para movê-lo. Deve haver uma força que faça com que os neurônios enviem a mensagem. O dualismo falha, pois não explica como um evento não físico pode criar um evento físico.

Argumento da simplicidade

Talvez o argumento mais comum contra o dualismo seja também o mais simples. O argumento da simplicidade pergunta: Por que alguém tentaria explicar a existência da mente e do corpo em duas partes quando fazer isso em uma única parte é mais simples?

Essa questão é expressa pelo princípio denominado de Navalha de Occam, que afirma que, para explicar um fenômeno, ninguém deveria multiplicar as premissas além do necessário. Assim, seria racional para os humanos a explicação mais simples.

Embora algumas partes do dualismo tenham seus pontos fortes, não há como negar que essa teoria não responde a todas as questões surgidas do problema mente-corpo.

UTILITARISMO

A medida da felicidade

Ao analisar o comportamento moral, há duas questões que surgem com frequência:

1. O que torna uma ação certa ou errada?
2. Que coisas são boas e quais são más?

O utilitarismo, primeiramente apresentado por Jeremy Bentham e depois aprimorado por John Stuart Mill, é a teoria consequencialista mais comum. Ele propõe que a única coisa de valor e a única coisa que é boa em si mesma é a felicidade. Embora outras coisas tenham valor, o valor delas é meramente derivado da contribuição que dão para a felicidade.

JEREMY BENTHAM (1748-1832)

O filósofo inglês Jeremy Bentham, influenciado pelo trabalho de Hume e de Hobbes, apresentou a fundação do utilitarismo em seu livro de 1789, *Uma introdução aos princípios da moral e da legislação*. Nesse texto, Bentham cria o princípio da utilidade, segundo o qual uma ação é aprovada quando tem a tendência de trazer e oferecer mais felicidade.

De acordo com Bentham, a felicidade é definida como a presença do prazer e a ausência da dor. Ele criou uma fórmula da felicidade, que chamou originalmente de *felicific calculus*, para mensurar o valor de diferentes prazeres e dores. Para medir prazer e dor, Bentham verifica duração, intensidade, certeza *versus* incerteza e proximidade *versus* distância. Então, racionaliza que o que torna uma ação correta é a sua capacidade de aumentar o prazer e diminuir a dor. Essa teoria é identificada como hedonista porque considera que o prazer e a dor são as únicas coisas valiosas e se refere à "ação utilitarista" porque aplica essa utilidade diretamente nas ações.

Para Bentham, o utilitarismo baseava-se nas consequências das ações que eram adotadas. Além disso, enfatizava a felicidade da comunidade como o ponto mais importante, pois a felicidade comunitária é a soma das felicidades individuais. Dessa forma, o princípio da utilidade determina que a obrigação moral de desempenhar uma ação baseia-se em fazer algo para produzir a maior quantidade de felicidade para o maior número de pessoas afetadas por essa ação. Trata-se de quantidade superando qualidade. Não importa quão complexo ou simples seja o prazer, cada um é considerado de forma igual. Bentham acreditava firmemente que mais, falando de modo quantitativo, é melhor.

A visão de Bentham sobre os crimes

Bentham acreditava que as políticas sociais deveriam ser avaliadas com base no bem-estar geral das pessoas afetadas e que a punição dos criminosos efetivamente desencorajava os delitos porque fazia os indivíduos compararem os benefícios de cometer um crime com a dor envolvida na punição.

JOHN STUART MILL (1806-1873)

John Stuart Mill ampliou e aprimorou as teorias de Jeremy Bentham, de quem era admirador e seguidor, publicando, em 1861, o livro *Utilitarismo*.

Embora Mill concordasse e tenha aprimorado a teoria de Bentham, ele discordava da crença de que a quantidade de prazer é melhor do que a qualidade. Observou que, com essa irrelevância qualitativa de Bentham, não haveria diferença de valor entre os prazeres humanos e os dos animais. Então, o status moral do homem seria o mesmo dos animais.

Apesar de Mill considerar que os prazeres diferem em qualidade, ele provou que essa qualidade não pode ser quantificada (demonstrando, assim, que a fórmula da felicidade de Bentham era despropositada). Para ele, somente aquelas pessoas que tivessem experienciado os mais altos e os mais baixos prazeres poderiam avaliar a qualidade deles. Esse processo levaria à criação de um valor moral que promoveria os altos prazeres (que ele achava que eram mais intelectuais), mesmo que os prazeres mais baixos (que ele achava que eram mais os físicos) fossem momentaneamente mais intensos.

Segundo Mill, é difícil alcançar a felicidade. Portanto, em vez de buscar os prazeres, as pessoas tinham a justificativa moral de procurar uma forma para reduzir a quantidade total de dor com suas ações. O utilitarismo de Mill também possibilitava a ideia do sacrifício do prazer e da experiência da dor, quando o resultado da ação fosse um bem maior para todos.

Mill respondia às críticas daqueles que afirmavam que o utilitarismo pedia demais das pessoas, explicando que a maioria das boas ações não é em benefício do mundo, mas dos indivíduos que formam o mundo. Essa utilidade particular é o que a maioria das pessoas consegue alcançar, sendo raro que alguém tenha a força de ser um benfeitor público.

TIPOS DE UTILITARISMO

Utilitarismo dos atos

Nessa teoria, somente os resultados e as consequências de uma ação são levados em conta, e um ato é considerado moralmente correto quando provoca os melhores (ou menos ruins) resultados para o maior número de pessoas. Cada ação é avaliada individualmente, e sua utilidade é calculada a cada desempenho. A moralidade, então, é determinada pela avaliação de quão úteis são os resultados para o maior número de pessoas afetadas.

No entanto, o utilitarismo dos atos tem seus críticos. Não apenas é desafiador ter conhecimento completo das consequências dos atos de alguém; esse princípio também permite a justificativa de atos imorais. Por exemplo, se dois países estão em guerra, mas esta pode ser encerrada caso certo homem seja encontrado, o utilitarismo dos atos afirma que torturar o filho desse homem, que sabe onde o pai se esconde, seria moralmente justificável.

Utilitarismo das regras

Enquanto o utilitarismo dos atos avalia os resultados de uma única ação, o utilitarismo das regras mensura os resultados de um ato conforme ele se repete ao longo do tempo, como se fosse uma regra. De acordo com essa teoria, uma ação é considerada moralmente correta quando está em conformidade com as regras que levam à mais ampla felicidade geral.

Para o utilitarismo das regras, uma ação está moralmente correta com base na correção de suas regras. Quando uma regra está correta e é seguida, o resultado é a maior quantidade de bem ou felicidade que pode ser alcançada. Segundo a teoria, enquanto seguir as regras pode não resultar na maior felicidade geral, não segui-las também não.

O utilitarismo das regras também enfrenta críticas. Por exemplo, nessa teoria, é possível criar regras que sejam totalmente injustas. Um exemplo perfeito no mundo real é a escravidão. O utilitarismo das regras pode afirmar que a escravidão é moralmente correta, se os maus-tratos a um grupo de pessoas resultar na felicidade geral.

O QUE É CERTO OU ERRADO?

No utilitarismo dos atos e no utilitarismo das regras, nada é simplesmente certo ou errado por si mesmo. Não importa o tipo de utilitarismo, nenhum requer a proibição absoluta da mentira, da trapaça e do roubo. De fato, o utilitarismo parece, às vezes, propor que nós mintamos, façamos trapaças ou roubemos, pois essa é uma forma de conquistar a máxima felicidade (embora, de acordo com o utilitarismo de regras, as ações como mentir, roubar ou trapacear debilitem a confiança sobre a qual se fundamenta a sociedade humana, e qualquer regra que permita essas ações não poderá maximizar a utilidade se for universalmente adotada).

No utilitarismo, a moralidade é sempre baseada nas consequências que surgem como resultado de uma ação e nunca na ação de fato. Por se concentrar mais nas consequências do que nas intenções, o valor moral de uma ação parece se tornar uma questão de acaso. A consequência final de uma ação deve se tornar evidente antes de determinar se a ação é boa ou má. No entanto, nós certamente conseguimos imaginar ações bem-intencionadas que levam a más consequências, assim como ações mal-intencionadas que provoquem consequências positivas. Além disso, como é necessário determinar quantas pessoas serão afetadas, com que intensidade serão afetadas e o efeito de toda alternativa disponível, o utilitarismo abre muito espaço para erros de cálculo. Dessa forma, embora o utilitarismo faça um bom trabalho para banir os comportamentos indesejáveis, essa parece ser uma teoria moral fraca.

JOHN LOCKE (1632-1704)

Os direitos do homem

John Locke nasceu em 29 de agosto de 1632, em Somerset, na Inglaterra, em uma família puritana. O pai dele, um advogado que também serviu como capitão na guerra civil britânica, tinha bons relacionamentos no governo. Como resultado, Locke pôde receber uma educação notável e diversificada. Em 1647, quando frequentava a escola de Westminster, em Londres, foi nomeado acadêmico do rei (uma honraria concedida a um grupo seleto) e, em 1652, inscreveu-se na mais prestigiada faculdade de Oxford, a Christ Church. Foi lá que Locke familiarizou-se com a metafísica e a lógica e, enquanto fazia o seu mestrado em artes, estudava também os trabalhos de Descartes e Robert Boyle (que é considerado o pai da química), buscando seguir a carreira de médico.

Em 1665, tornou-se amigo de lorde Ashley (que foi fundador do partido Whig e se tornaria o conde de Shaftesbury), um dos mais habilidosos estadistas ingleses, que fora a Oxford buscar tratamento médico. Lorde Ashley o convidou a viver em Londres para trabalhar como seu médico pessoal, e ele se mudou para lá em 1667. Conforme cresciam o poder e as responsabilidades de lorde Ashley, o mesmo ocorria com Locke, assim, logo se viu trabalhando no comércio e na colonização. Um projeto assumido por lorde Ashley foi a colonização das Carolinas no Novo Mundo e Locke tomou parte da ação, redigindo a constituição daquelas terras. Foi durante esse período que começou a se interessar pelas discussões filosóficas.

Em 1674, com lorde Ashley fora do governo, Locke retornou a Oxford para se graduar em medicina e, então, viajou para a França, onde passou boa parte de seu tempo aprendendo sobre o protestantismo. Ao voltar à Inglaterra, em 1679, Locke viu-se envolvido em controvérsias. Como o rei Carlos II e o Parlamento disputavam o poder e a revolução parecia possível, envolveu-se em uma tentativa fracassada de assassinato do rei e do irmão do rei, o que o fez ter de deixar o país. Foi nessa época que escreveu o livro *Dois tratados sobre o governo*.

Exilado na Holanda, Locke concluiu o que talvez seja seu mais famoso trabalho, *Ensaio sobre o entendimento humano*, que havia começado na França. Em 1688, pôde finalmente retornar a Londres, quando Guilherme de Orange invadiu a Inglaterra, forçando James II (que governava depois da morte de seu irmão, Carlos II) a fugir para a França — o que deu início à Revolução Gloriosa. Foi só depois que Locke retornou à Inglaterra que o *Ensaio sobre o entendimento humano* e os *Dois tratados sobre o governo* foram publicados.

A Revolução Gloriosa teve impacto profundo sobre a Inglaterra e deslocou o poder da monarquia para o Parlamento. John Locke não apenas foi considerado um herói de seu tempo, mas sua contribuição para a filosofia ocidental comprova que ele foi uma das maiores mentes da história da humanidade. Seus trabalhos filosóficos abordam temas como empirismo, epistemologia, governo, Deus, tolerância religiosa e propriedade privada.

ENSAIO SOBRE O ENTENDIMENTO HUMANO

O trabalho mais famoso de Locke, *Ensaio sobre o entendimento humano*, refere-se às questões fundamentais sobre a mente, pensamento, linguagem e percepção, e é dividido em quatro livros. No *Ensaio*, ele apresenta uma filosofia sistêmica que tenta responder como nós pensamos. Como resultado desse trabalho, Locke moveu o diálogo filosófico da metafísica para a epistemologia.

Ele foi contra a noção estabelecida por outras escolas filosóficas (como a de Platão e a de Descartes) de que uma pessoa nasce com conhecimento e princípios fundamentais inatos. Ele argumenta que essa ideia significaria que todos os humanos aceitam universalmente certos princípios e, como não existem princípios universalmente aceitos (e, se houvesse, não seriam resultado de conhecimento inato), isso não pode ser verdadeiro.

Por exemplo, as pessoas têm ideias morais diferentes; então, a moral não pode ser um conhecimento inato. Em vez disso, Locke acreditava que os humanos eram *tábula rasa* ou página em branco, que adquiria conhecimento pela experiência. A experiência gera ideias simples (com base nos sentidos, nos reflexos e nas sensações), que, conforme se combinam, tornam-se mais complexas (por comparação, abstração e combinação) e formam o conhecimento. As ideias também podem ser divididas em duas categorias:

1. **Primárias**: não podem ser separadas da matéria e estão presentes não importa se a pessoa as vê ou não — por exemplo, tamanho, forma e movimento.
2. **Secundárias**: são separadas da matéria e percebidas apenas quando a matéria é observada — por exemplo, sabor e odor.

Finalmente, Locke faz objeção ao conceito de essência de Platão, a noção de que os humanos só podem identificar um indivíduo como parte de uma espécie por causa de sua essência. Ele cria a própria teoria das essências com base nas propriedades observáveis (que ele chama de essências nominais) e das estruturas invisíveis que formam as propriedades observáveis (que ele chama de essências). Por exemplo, podemos formar uma ideia e criar uma essência sobre o que é um cachorro com base naquilo que observamos e com base na biologia do cachorro (que é responsável pelas propriedades observáveis). Para Locke, o conhecimento humano é limitado e nós devemos estar conscientes dessas limitações.

DOIS TRATADOS SOBRE O GOVERNO

No livro *Dois tratados sobre o governo*, Locke detalha suas crenças em relação à natureza humana e à política. A âncora de seu pensamento filosófico era a noção de que os humanos têm direito à propriedade privada.

De acordo com ele, quando Deus criou o homem, ele só precisava viver segundo as leis da natureza e, enquanto a paz fosse preservada, cada um poderia agir como achasse melhor. O direito humano à autopreservação significa que o homem também tem o direito de ter as coisas de que precisa para sobreviver e viver com alegria; e tudo isso foi oferecido por Deus.

Uma vez que o homem é proprietário do próprio corpo, todo produto ou mercadoria que seja resultado de seu esforço físico também pertence a ele. Um homem que decida trabalhar a terra e produzir alimentos, por exemplo, deve ser proprietário da terra e dos alimentos produzidos por essa terra. Segundo as ideias de Locke sobre a propriedade privada, ninguém deve tomar posse de nada se outra pessoa for prejudicada no processo. Além disso, Deus quer que todo mundo seja feliz e o homem não deve pegar mais do que precisa para viver porque aquilo poderá ser usado por outra pessoa. Como existem pessoas imorais, porém, o homem deve criar leis para assegurar e proteger seus direitos de propriedade e liberdades.

Locke acreditava que o único propósito do governo era apoiar e promover o bem-estar de todos. E, embora alguns direitos naturais sejam abdicados quando um governo se estabelece, o governo tem a capacidade de proteger os direitos de modo mais eficiente do que uma pessoa sozinha. Caso o governo não promova mais o bem-estar de todos, ele deve ser substituído, e é uma obrigação moral da comunidade se revoltar.

De acordo com Locke, quando existe um governo adequado, os indivíduos e a sociedade se desenvolvem, não apenas material, mas também espiritualmente. O governo deve oferecer também uma liberdade em sintonia com a lei natural da autoperpetuação criada por Deus.

Apesar de ter sido publicado mais tarde, quando retornou à Inglaterra depois do exílio, *Dois tratados sobre o governo* foi escrito durante uma época de acirrada tensão política entre a monarquia e o Parlamento, e sua abordagem política teve um grande impacto sobre a filosofia ocidental.

EMPIRISMO *VERSUS* RACIONALISMO

De onde vêm as verdades?

Na epistemologia, os filósofos examinam a natureza, as origens e os limites do conhecimento. As principais questões levantadas são:

- Como alguém obtém conhecimento?
- Quais são os limites do conhecimento?
- Qual é a natureza do verdadeiro conhecimento? O que assegura que ele seja verdadeiro?

Para responder à primeira questão sobre como se origina o conhecimento, existem duas teorias filosóficas opostas: o empirismo e o racionalismo.

EMPIRISMO

O empirismo propõe que todo conhecimento deriva da experiência sensorial. De acordo com essa teoria, nossos sentidos obtêm as informações brutas do mundo que nos rodeia e nossa percepção sobre essas informações brutas dá início a um processo pelo qual começamos a formular ideias e crenças. A noção de que os humanos nascem com um conhecimento inato é rejeitada. O argumento é de que as pessoas só adquirem conhecimento *a posteriori*, ou seja, com "base na experiência". Pelo raciocínio indutivo baseado nas observações básicas proporcionadas pelos sentidos, o conhecimento se torna mais complexo.

De modo geral, existem três tipos de empirismo.

Empirismo clássico

Essa é a forma de empirismo associada à teoria da *tábula rasa* de John Locke. A noção de um conhecimento inato é completamente rejeitada e assume-se que não sabemos nada ao nascer. É somente quando alguém começa a experienciar o mundo que a informação é obtida e o conhecimento se forma.

Empirismo radical

O empirismo radical tornou-se famoso com o trabalho do filósofo norte-americano William James. Nas formas mais radicais do empirismo, todo conhecimento de uma pessoa deriva dos sentidos. Seria possível concluir, então, que o significado de uma afirmação está conectado às experiências capazes de confirmá-la. Isso é conhecido por princípio da verificação e integra um tipo radical de empirismo denominado positivismo lógico (que se tornou um tipo impopular de empirismo). Como todo conhecimento deriva dos sentidos, de acordo com o positivismo lógico, não é possível falar sobre algo que não tenha sido experienciado. Se uma afirmação não pode ser vinculada à experiência, essa afirmação não tem significado. Para o positivismo lógico ser verdadeiro, a religião e as crenças éticas precisam ser abandonadas porque ninguém tem uma experiência ou observação que seja capaz de confirmá-las, o que as torna sem significado.

Empirismo moderado

Essa forma de empirismo, que parece mais plausível do que o empirismo radical, admite que haja casos em que o conhecimento não é fundamentado na experiência (embora ainda sejam considerados exceções à regra). Por exemplo, em "9 + 4 = 13", nós vemos uma verdade que não requer investigação. No entanto, qualquer forma significativa de conhecimento ainda é obtida unicamente pela experiência.

RACIONALISMO

O racionalismo é a teoria em que a razão, não os sentidos, é a origem do conhecimento. Os racionalistas argumentam que, sem contar com princípios e categorias já dados, os seres humanos não seriam capazes de organizar e interpretar as informações oferecidas pelos sentidos. Assim, de acordo com o racionalismo, os humanos contam com conceitos inatos e, então, aplicam o raciocínio dedutivo.

Os racionalistas acreditam em pelo menos um dos seguintes pontos:

A tese da intuição/dedução

Essa tese afirma que existem algumas proposições conhecidas como resultado somente da intuição, enquanto outras podem ser conhecidas por dedução de uma proposição intuída. Segundo o racionalismo, a intuição é um tipo de percepção racional. Pela dedução, somos capazes de chegar a conclusões a partir de premissas intuídas, utilizando argumentos válidos. Em outras palavras, a conclusão tem de ser verdadeira, se as premissas nas quais a conclusão se baseia forem verdadeiras. Uma vez que uma parte do conhecimento se torna conhecida, uma pessoa pode, então, deduzir as outras com base nesse conhecimento original.

Por exemplo, alguém pode intuir que o número 5 é primo e menor do que 6 e, então, pode deduzir que existe um número primo que é menor do que 6. Todo conhecimento adquirido no processo intuição/dedução é *a priori*, isto é, foi conquistado independentemente dos sentidos. Os racionalistas aplicaram essa tese para explicar matemática, ética, livre-arbítrio e até proposições metafísicas como a existência de Deus.

A tese do conhecimento inato

Essa tese propõe que, como parte de nossa natureza racional, nós temos conhecimento de algumas verdades próprias de determinados assuntos. Como a tese da intuição/dedução, a do conhecimento inato afirma que o conhecimento é adquirido *a priori*. De acordo com essa tese, porém, o conhecimento não deriva da intuição ou da dedução; em vez disso, tê-lo é apenas parte da nossa natureza. A fonte do conhecimento depende do filósofo. Enquanto alguns racionalistas acreditam, por exemplo, que o conhecimento vem de Deus, outros o consideram resultado da seleção natural.

A tese do conceito inato

Essa teoria afirma que, como parte de nossa natureza, os humanos contam com conceitos que aplicam em assuntos específicos. Segundo a tese do conceito inato, algum conhecimento não é resultado da experiência; no entanto, a experiência sensorial pode disparar o processo que traz o conhecimento à nossa consciência. Embora a experiência possa funcionar como gatilho, ainda assim ela não proporciona os conceitos nem determina o que é a informação. Essa ideia é diferente da tese do conhecimento inato porque aqui o conhecimento pode ser deduzido dos conceitos inatos. De acordo com isso, quanto mais distante um conceito estiver da experiência, mais plausível ele é de ser inato. Por exemplo, o conceito de uma forma geométrica seria mais inato do que o conceito de dor porque o primeiro está mais distante da experiência.

Embora o empirismo e o racionalismo apresentem duas explicações diferentes para a mesma pergunta, as respostas nem sempre são preto no branco. Por exemplo, os filósofos Gottfried Wilhelm Leibniz e Baruch Espinosa, considerados figuras-chave no movimento racionalista, acreditavam que o conhecimento podia ser adquirido em princípio pela razão. Contudo, além de áreas específicas como a matemática, eles não consideravam que isso fosse possível na prática.

GEORG WILHELM FRIEDRICH HEGEL (1770-1831)

O poder dos outros

O pai de Georg Wilhelm Friedrich Hegel queria que o filho se tornasse clérigo. Hegel, então, se inscreveu no seminário da Universidade de Tübingen, em 1788, e estudou teologia. Durante o período de faculdade, tornou-se amigo de Friedrich Hölderlin e Friedrich W. J. von Schelling, que viriam a ser muito bem-sucedidos como poeta e filósofo, respectivamente. Ao longo da vida, esses três homens impactaram profundamente o trabalho um do outro.

Depois de se formar, Hegel decidiu que não se tornaria pastor e foi morar em Frankfurt, onde trabalhou como tutor. Quando o pai morreu, ele herdou dinheiro suficiente para se sustentar e passou a dedicar seu tempo inteiramente ao trabalho em sua filosofia religiosa e social. Em 1800, Hegel conheceu e se interessou muito pela filosofia de Immanuel Kant. No ano seguinte, mudou-se com Von Schelling para Jena, onde os dois foram contratados pela universidade local. A cidade era um epicentro artístico e intelectual e Hegel decidiu que sua filosofia combinaria suas influências teológicas, o idealismo kantiano e o romantismo às questões políticas e sociais contemporâneas. Ainda em 1801, Hegel começou a publicar seus textos filosóficos.

Um de seus livros mais famosos, *Fenomenologia do espírito*, foi publicado em 1807 e nele Hegel discute em profundidade suas visões do espírito, da consciência e do conhecimento. Mais tarde, sistematizaria sua abordagem filosófica em seu trabalho de três volumes, *Enciclopédia das ciências filosóficas*, publicado em 1817 e, quatro anos depois, em seu livro, *Princípios da filosofia do direito*, no qual combinou suas ideias filosóficas a críticas à sociedade moderna e às instituições políticas.

Nos anos que antecederam sua morte, Hegel tornou-se muito influente. O impacto de seu trabalho pode ser sentido na teologia, na teoria da cultura e na sociologia e ele é com frequência considerado o precursor do marxismo.

DIALÉTICA E ESPÍRITO

Antes do trabalho de Hegel, a palavra *dialética* era usada para descrever o processo de argumentar e refutar com o objetivo de determinar os primeiros princípios (como nos famosos diálogos escritos por Sócrates). Hegel, porém, utilizou a palavra *dialética* de uma maneira bastante diferente.

Como Kant, ele era um idealista. Acreditava que a mente tinha acesso apenas àquilo que o mundo parecia ser e que nós nunca perceberíamos completamente o que o mundo é. Ao contrário de Kant, para Hegel essas ideias eram sociais, ou seja, eram totalmente moldadas pelas ideias de outras pessoas. Essa consciência coletiva da sociedade, à qual Hegel se referia como "espírito", é responsável pela formatação da consciência e das ideias de cada pessoa.

Ainda diferentemente de Kant, Hegel acreditava que esse espírito está em constante evolução. Segundo ele, o espírito se desenvolve pelo mesmo tipo de padrão que uma ideia durante uma discussão, a dialética. Primeiro, há uma ideia a respeito do mundo (muito parecida com uma tese), que, por contar uma falha inerente, dá oportunidade ao surgimento da antítese. Essa tese e a antítese, por fim, reconciliam-se com a criação da síntese e surge uma nova ideia composta dos elementos tanto da tese quanto da antítese.

Para Hegel, a sociedade e a cultura seguem esse padrão e um indivíduo poderia compreender tudo da história humana sem o uso da lógica ou de dados empíricos, simplesmente aplicando a lógica.

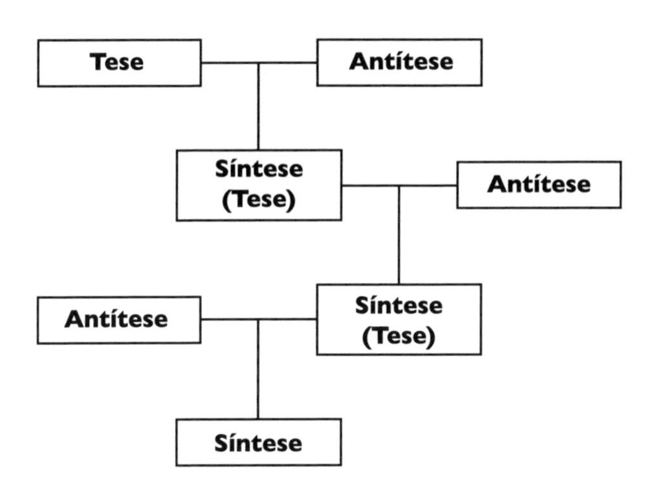

RELAÇÕES SOCIAIS

Hegel concordava com a noção de Kant de que estar consciente de um objeto também implica que o indivíduo está autoconsciente (porque estar consciente de um objeto significa que também existe a consciência de um sujeito, que seria a própria pessoa que percebe o objeto). Ele ampliou essa teoria ao afirmar que a autoconsciência não envolve um objeto e um sujeito; a autoconsciência também envolve outros sujeitos porque um indivíduo se torna realmente consciente de si mesmo quando mais alguém o observa. Portanto, de acordo com Hegel, a verdadeira autoconsciência é social. É apenas quando outra consciência está presente, que alguém vê o mundo pela visão do outro a fim de formar sua autoimagem.

Hegel vinculou essa ideia ao relacionamento de desigualdade e dependência no qual o subordinado (chamado de escravo) está consciente de seu status, enquanto a parte independente (chamado de senhor) é capaz de desfrutar a liberdade de não estar preocupado com a consciência do servo. Isso gera, porém, um sentimento de culpa no senhor porque, para manter sua superioridade, ele tem de negar a mútua identificação do escravo. De acordo com ele, essa dinâmica — na qual um compete pela objetificação e pela identificação mútua e também se distancia e se identifica com a outra pessoa — é a base da vida social.

VIDA ÉTICA

Hegel descreve uma expressão cultural do espírito como "vida ética", que é um reflexo da interdependência básica entre as pessoas em uma sociedade. Hegel viveu durante o Iluminismo e, como resultado, ele argumentava que a tendência da vida moderna era se afastar do reconhecimento dos vínculos sociais essenciais. Antes do Iluminismo, as pessoas eram consideradas por sua posição na hierarquia social. No entanto, o Iluminismo e suas figuras-chave como Locke, Rousseau, Kant e Hobbes, passaram a enfatizar o indivíduo.

Hegel acreditava que o estado moderno corrigiria o desequilíbrio determinado pela cultura moderna e considerava que as instituições eram necessárias, pois seriam capazes de preservar a liberdade, enquanto reiteravam a vida ética e os limites comuns. Para Hegel, o estado tinha a missão de dar assistência aos pobres, regular a economia e criar instituições com base nas diferentes ocupações (quase como os atuais sindicatos). Assim, as pessoas experimentariam um sentido de pertencimento social e uma conexão mais ampla com a sociedade como um todo.

RENÉ DESCARTES (1596-1650)

"Penso, logo existo"

René Descartes é considerado por muitos o pai da filosofia moderna. Ele nasceu em 1596, na pequena cidade francesa de La Haye, e sua mãe morreu durante seu primeiro ano de vida. O pai era um aristocrata, que fazia questão de oferecer uma boa educação aos filhos. Aos 8 anos, Descartes foi enviado a uma escola jesuíta onde se familiarizou com lógica, retórica, metafísica, astronomia, música, ética e filosofia natural.

Aos 22 anos, graduou-se em direito pela Universidade de Poitiers (onde alguns acreditam que Descartes passou por uma crise nervosa) e começou a estudar teologia e medicina. Ele não foi adiante por muito tempo nesses estudos, alegando que queria descobrir o mundo e o conhecimento que estava dentro dele próprio. Alistou-se, então, no exército, com o qual teve a oportunidade de viajar. Nas horas vagas, estudava matemática. Descartes acabou se tornando amigo do famoso filósofo e matemático Isaac Beeckman, que estava tentando criar um método que somasse a física e a matemática.

Na noite de 10 de novembro de 1619, teve três sonhos, ou visões, que mudariam o curso de sua vida e a filosofia. A partir desses sonhos, ele tomou a decisão de devotar sua vida à transformação do conhecimento com a matemática e a ciência. E começou com a filosofia porque essa era a raiz de todas as outras ciências.

Descartes passou a escrever, então, o livro *Regras para a orientação do espírito*, que apresentava o seu novo método para o pensamento. O tratado nunca foi concluído — ele só completou a primeira das três partes (cada uma era composta por doze regras). A obra foi publicada postumamente em 1684.

Discurso do método

Em seu primeiro e mais famoso trabalho, *Discurso do método*, Descartes discute o primeiro conjunto de regras que criou no livro *Regras para a orientação do espírito* e como sua perspectiva fazia com que duvidasse de tudo o que sabia. Então, demonstrou como suas regras poderiam solucionar problemas profundos e complexos, como a existência de Deus, o dualismo e a existência pessoal (de onde surgiu o conceito "Penso, logo existo").

Conforme Descartes continuou a escrever, sua fama cresceu. Seu livro *Meditações sobre filosofia primeira*, publicado em 1641, enfrentava as objeções feitas às suas descobertas apresentadas no *Discurso* e introduzia uma forma circular de lógica conhecida como "Círculo Cartesiano". A obra *Princípios da filosofia*, publicada em 1644 e lida por toda a Europa, tentava encontrar a fundação matemática do universo.

Em Estocolmo, na Suécia, trabalhando como tutor da rainha, Descartes morreu de pneumonia. Embora fosse um católico devoto, seu trabalho colidiu com a ideologia da Igreja e, após a sua morte, suas obras foram colocadas no Index dos livros proibidos pela Igreja Católica.

OS TEMAS FILOSÓFICOS DE RENÉ DESCARTES

Pensamento e razão

Descartes é mais famoso por sua afirmação "*Cogito ergo sum*", traduzida para "Penso, logo existo". Segundo ele, o ato de pensar é prova da existência individual. Afirma que o pensamento e a razão são a essência da condição humana porque, embora ninguém possa ter certeza de nenhuma outra parte da existência, um indivíduo sempre pode estar certo de que tem pensamentos e razão. Para que os pensamentos existam, tem de haver uma fonte para o pensamento; assim, se uma pessoa pensa, ela tem de existir. Para Descartes, os humanos têm também a capacidade da razão — sem ela, o indivíduo simplesmente não seria humano.

Ele acreditava que era pela habilidade da razão que os humanos conquistavam o verdadeiro conhecimento e confiança na ciência. Seu pressuposto de que a razão é um talento natural com que todas as pessoas nascem o levou a escrever sobre questões filosóficas muito complexas de um modo compreensível por todos. De vez em quando, até escrevia seus trabalhos em francês e não em latim (a língua usada pelos acadêmicos) para que pudesse ser lido pelas massas.

Descartes apresentava argumentos com um fluxo mental lógico tão veloz que era difícil acompanhar. Acreditava que todo problema poderia ser dividido em partes menores e que eles poderiam ser convertidos em equações abstratas. Ao fazer isso, a pessoa conseguia eliminar a questão da percepção sensorial (que, de acordo com Descartes, era incerta), deixando que a razão objetiva solucionasse a questão.

Tendo em vista que a percepção sensorial era incerta, o único ponto do qual Descartes podia realmente ter certeza era que as pessoas pensam. Dessa forma, o pensamento e a razão são a essência de todos os seres humanos. E, como existe uma diferença entre a razão pura e a percepção sensorial, ele argumentava que isso deve ser a existência da alma.

A existência de Deus

Assim que conseguiu estabelecer que o homem existe unicamente como ser pensante, Descartes começou a buscar por outra verdade autoevidente. Ele concluiu que a percepção e a imaginação tinham de existir porque eram "modos da consciência" internos à mente, mas isso não significava que contivessem qualquer verdade. Assim, concluiu também que a única maneira de obter conhecimento das outras coisas é pelo conhecimento de Deus.

Segundo ele, como Deus é perfeito, é impossível para Ele enganar alguém. Afirmava ainda que, apesar de ser imperfeito como ser humano, ser capaz de conceber a noção de perfeição queria dizer que a perfeição existia; e essa perfeição é Deus.

O problema mente-corpo

Descartes também ficou famoso por propor o dualismo da substância (também conhecido como dualismo cartesiano), isto é, a ideia de que a mente e o corpo eram substâncias separadas.

Ele acreditava que a mente racional estava no controle do corpo, mas que o corpo podia influenciar a mente a agir irracionalmente, por exemplo, quando uma pessoa age com paixão. De acordo com esse filósofo, o corpo e a mente interagiam na glândula pineal, que ele chamava de "a sede da alma". Para ele, assim como a alma, a glândula pineal era uma parte unitária do cérebro (embora a ciência atual demonstre que ela também tem dois hemisférios), e sua localização próxima aos ventrículos é perfeita para que influencie os nervos que controlam o corpo.

A seguir está a ilustração de Descartes para o dualismo. Os órgãos sensoriais transmitem as informações para a glândula pineal no cérebro e, então, essas informações são enviadas ao espírito.

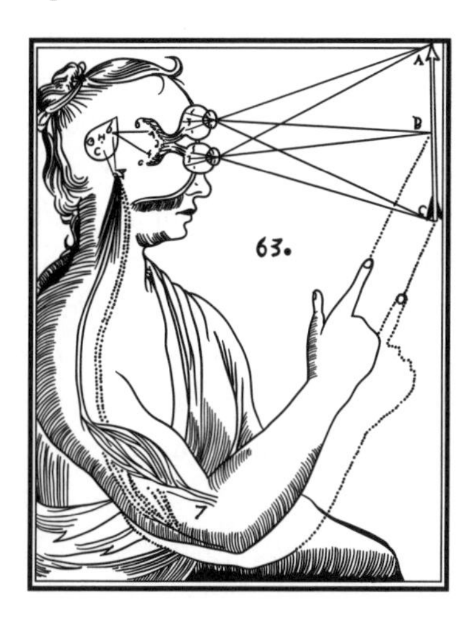

TEORIA-A

Passado, presente e futuro

No debate filosófico sobre a natureza do tempo, a Teoria-A é a visão defendida pelos filósofos contemporâneos de que existem propriedades intrínsecas e indivisíveis relacionadas ao passado, ao presente e ao futuro. Eles afirmam que, por terem essas propriedades-A, os eventos no tempo ocorrem no passado, no presente ou no futuro. A origem dessa teoria está no artigo *The Unreality of Time*,[5] no qual John McTaggart Ellis McTaggart discute o tempo com base no que chama de "séries-A" e "séries-B".

AS SÉRIES-A

De acordo com McTaggart, as séries-A são "as séries de posições que vão desde o passado distante, o passado, o passado recente até o presente, seguindo depois para o futuro próximo, o futuro até o futuro distante ou vice-versa".

Por "série de posições", McTaggart quer dizer posições no tempo; os eventos estão posicionados no passado se já aconteceram; estão posicionados no presente se estão acontecendo agora; e estão posicionados no futuro se ainda não aconteceram. A propriedade de estar no passado, no presente ou no futuro é temporária e não permanente. Por exemplo, quando ainda não tinha acontecido, o evento de aterrissar na Lua estava no futuro; quando estava ocorrendo, era presente; e agora está no passado.

As "séries-A" discutidas por McTaggart, então, estabelecem um fluxo no qual cada evento está em um tempo futuro, em um tempo presente e um tempo passado, mas nunca em uma combinação das três propriedades simultaneamente nem em uma das três para sempre. Nenhum evento é sempre presente, sempre passado ou sempre futuro. Essa definição também contempla a existência de diferentes graus de passado e futuro (o próximo ano, por exemplo, é mais futuro do que a próxima quinta-feira) e diferentes propriedades que correspondem a esses diferentes graus. Para falar sobre eventos enquanto ocorrem no passado, no presente ou no futuro, é preciso usar as frases-A ou as frases temporais. Um evento no futuro *acontecerá*; um evento no presente *está acontecendo*; e um evento no passado já *aconteceu*.

5 O artigo *The Unreality of Time* [A irrealidade do tempo] foi inicialmente publicado na revista *Mind* em 1908. (N.T.)

PRESENTISMO E NÃO REDUCIONISMO

A Teoria-A combina o presentismo e o não reducionismo. O presentismo é a assertiva extrema de que somente o presente é real e de que nada existe além do que presentemente existe. Por exemplo, embora objetos passados, como os dinossauros, realmente *tenham* existido, não há significado para que realmente existam agora. Do mesmo modo, embora seja possível que objetos futuros, como o centésimo presidente dos Estados Unidos, *venham* a existir, não há significado para que realmente *existam* agora. Nesse contexto, então, a discussão de objetos passados ou futuros não é uma discussão sobre objetos existentes em algum lugar que não seja o presente, mas sobre as propriedades que existiram ou existirão quando outros tempos "foram" ou "serão" o presente. A força do presentismo é dependente da existência da temporalidade e é, portanto, um importante elemento da Teoria-A.

O não reducionismo, ou "levar a sério o tempo", é a ideia de que o tempo corresponde a um fundamental e ilimitado recurso da realidade. Uma proposição temporal, ou uma frase-A, é aquela em que os tempos verbais são usados (sou, fui, serei, tenho, tive etc.). Uma proposição eterna, ou uma frase-B, ao contrário, é atemporal e usa palavras como *antes, depois, simultaneamente* ou especifica a data. Os não reducionistas afirmam que as proposições temporais não podem ser reduzidas a proposições eternas sem uma perda de informação.

Por exemplo, dizer "Eu acredito que estou com fome" não preserva o mesmo valor de verdade do que se a frase for datada: "Eu acredito que estou com fome às 3 horas da tarde de 15 de junho". A afirmação sincera "Eu acredito que estou com fome" supõe que "Eu acredito que estou com fome simultaneamente ao ato de falar isso", enquanto a frase "Eu acredito que estou com fome às 3 horas da tarde de 15 de junho" não. A frase-A é verdadeira somente quando é simultânea à fala. Uma frase atemporal (frase-B), quando verdadeira, é verdadeira em qualquer ponto do tempo. Isso demonstra que as proposições temporais (frases-A) transmitem crenças temporárias que não podem ser expressas pelas afirmações datadas e atemporais.

INCOMPATIBILIDADE DA TEORIA-A COM A TEORIA ESPECIAL DA RELATIVIDADE DE EINSTEIN

Apesar da extensão que frases temporais na língua inglesa e em tantas outras, como o português, tomaram, muitos filósofos argumentam que a Teoria-A do tempo é incompatível com a da relatividade e, portanto, não é válida. A Teoria Especial da Relatividade de Einstein (1905) consiste de dois postulados:

1. A velocidade da luz é a mesma para todos os observadores, não importa a velocidade relativa em que estejam.
2. A velocidade da luz é a mesma em todos os referenciais inerciais.

Desses dois postulados, resulta que a simultaneidade não é absoluta, mas, em vez disso, deve ser relativizada para um referencial inercial. Para cada par de eventos, não pode haver uma única dúvida sobre qual deles ocorreu antes ou mesmo se ambos aconteceram ao mesmo tempo. A precedência de um evento em relação ao outro depende do quadro referencial: relativamente a um quadro referencial, o Evento 1 pode ser simultâneo ao Evento 2; relativamente a outro quadro referencial, o Evento 1 pode acontecer antes do Evento 2; e relativamente a um terceiro quadro referencial, o Evento 1 pode acontecer depois do Evento 2.

Portanto, embora dois eventos possam ocorrer simultaneamente para um observador, eles acontecerão em momentos diferentes para um observador que se move em um referencial inercial diferente. Um evento que é presente em relação a um quadro referencial pode muito bem ser passado ou futuro em relação a outro quadro referencial. Como não há nenhum critério para selecionar qualquer quadro referencial como "o real", então, não pode haver nenhuma distinção absoluta e independente de referencial entre passado, presente e futuro.

EXEMPLO DO ATERRO FERROVIÁRIO

A relatividade da simultaneidade é encontrada na descrição de Einstein para um evento ocorrido em um aterro ferroviário: um trem longo viaja em velocidade constante como mostra a figura a seguir.

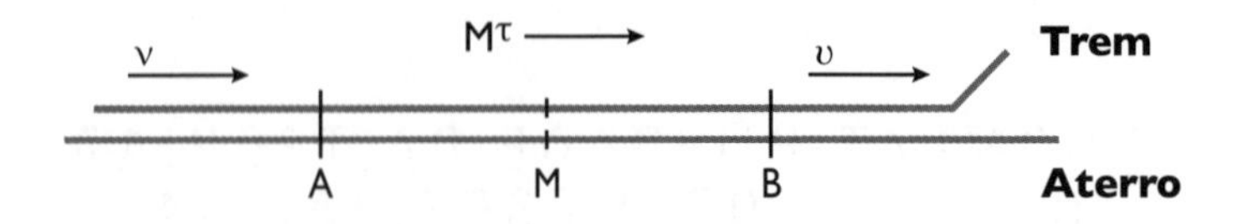

Uma pessoa que viaja no trem observa todos os eventos em relação ao veículo. Ocorreram dois relâmpagos; um no ponto A e outro no ponto B. A distância entre A e B foi medida e um observador no aterro foi colocado no ponto médio, M. A esse observador foram dados dois espelhos inclinados em 90 graus, assim, ele pode observar simultaneamente os pontos A e B. Se o observador vir os dois fachos de luz ao mesmo tempo, então, os relâmpagos foram simultâneos. O passageiro, no entanto, verá a luz do ponto B antes da luz do ponto A. Os eventos que são simultâneos com referência ao aterro, então, não são simultâneos com referência ao trem.

Como mostrado nesse exemplo, a ausência da simultaneidade absoluta coloca um problema para a Teoria-A e a questão da temporalidade. Se a teoria da relatividade está correta, a existência, segundo o presentismo, torna-se uma questão dependente do referencial. De acordo com dois diferentes quadros referenciais, um único evento pode existir e não existir.

TENTATIVA DE RECONCILIAÇÃO COM A RELATIVIDADE ESPECIAL

Alguns especialistas adeptos da Teoria-A tentaram reconciliá-la com a relatividade especial. Esses filósofos afirmam que, apesar de a relatividade estar bastante comprovada, ainda é uma teoria empírica e não deveria ser utilizada para avaliar afirmações metafísicas. Nesse sentido, a física atual não *domina* por completo a simultaneidade absoluta; não consegue concebê-la até agora. Uma física "ideal" poderia descobrir essa simultaneidade absoluta "não observável" atual.

Em contrapartida, os filósofos adeptos da Teoria-A argumentam que a simultaneidade absoluta pode nunca ser detectada pela física. No entanto, essa indetectabilidade da simultaneidade absoluta não impede sua existência. Uma objeção final apresentada por eles é a de que a relatividade da simultaneidade em si mesma é apenas um efeito aparente. Dois eventos observados simultaneamente é algo diferente de dois eventos que *acontecem* simultaneamente.

O PARADOXO DO MENTIROSO

As contradições da linguagem

Um dos mais famosos paradoxos que ainda são amplamente debatidos até hoje foi proposto pelo antigo filósofo grego Eubulides de Mileto, no século IV a.C., que propôs o seguinte:

"Um homem afirma que está mentindo. O que ele diz é verdadeiro ou falso?"

Não importa como a pessoa responda a essa pergunta, haverá problemas porque o resultado é sempre uma contradição.

Se afirmarmos que o homem está falando a verdade, isso quer dizer que ele está mentindo, o que, então, significaria que a frase inicial dele é falsa.

Se dissermos que a afirmação inicial dele é falsa, isso quer dizer que ele não está mentindo e, assim, o que ele afirmou é verdadeiro.

No entanto, não é possível haver uma frase que é simultaneamente verdadeira e falsa.

EXPLICAÇÃO DO PARADOXO DO MENTIROSO

O problema do paradoxo do mentiroso vai além da simples situação do homem retratado por Eubulides. Existem aqui implicações bastante reais.

Ao longo dos anos, houve diversos filósofos que teorizaram sobre o significado do paradoxo do mentiroso. Este demonstra que as contradições surgem das crenças comuns em relação à verdade e à falsidade e que a noção de verdade é vaga. Além disso, o paradoxo do mentiroso demonstra a fraqueza da linguagem. Embora seja gramaticalmente consistente e obedeça às regras da semântica, as frases produzidas no paradoxo do mentiroso não têm valor de verdade. Alguns já usaram o paradoxo do mentiroso até para provar que o mundo é incompleto e, dessa forma, que não pode haver algo como um ser onisciente.

Para compreender melhor o paradoxo do mentiroso, é preciso antes entender as diversas formas que ele pode assumir.

A simples falsidade do mentiroso

A forma mais básica do paradoxo do mentiroso é a da simples falsidade, que é a seguinte:

FMentiroso: "Essa sentença é falsa".

Platão é uma das figuras fundamentais da filosofia ocidental. Suas reflexões têm a forma de diálogos — debates sobre temas tão diversos quanto arte, ética, metafísica e teatro. Talvez ele seja mais conhecido pelo Mito da Caverna, embora a obra de Platão vá muito além desse pensamento.

Crédito da foto: 123rf.com

O símbolo de Yin e Yang é central na filosofia taoísta. *Tao*, que significa "caminho", relaciona-se primariamente à compreensão e à aceitação da ordem natural e do fluxo e refluxo da existência.

Crédito da foto: istockphoto.com/duncan1890

Sócrates talvez tenha sido o primeiro filósofo ocidental a focar o valor da experiência humana, em vez de simplesmente examinar o mundo a distância. Ele teve papel importante na educação dos homens mais brilhantes do seu tempo, e o desenvolvimento do método socrático foi um dos marcos-chave em todo pensamento e conhecimento humanos.

Crédito da foto: istockphoto.com/thegreekphotoholic

David Hume foi um dos líderes da proposição do empirismo, a ideia de que o conhecimento válido deriva da experiência. Com essa base racional, seu estudo empírico preparou terreno para os avanços científicos e filosóficos que viriam a acontecer no século XVIII.

Crédito da imagem: 123rf.com

Em termos filosóficos, o budismo avalia as falhas humanas, que, segundo seus seguidores, nos fazem voltar a nascer neste "falso mundo" em que todos habitamos. Para escapar do ciclo de morte e reencarnação, é necessário amainar a paixão e o desejo e ver o mundo claramente pelo que é — uma iluminação elusiva.

Crédito da foto: istockphoto.com/Nikada

Gottfried Wilhelm Leibniz foi um dos mais importantes e influentes filósofos do século XVII, uma voz fundamental no desenvolvimento do racionalismo. Talentoso em diversas disciplinas, recebe o crédito de também ter criado o cálculo diferencial em trabalhos independentes de sir Isaac Newton, além de ter descoberto o sistema binário.

Crédito da imagem: 123rf.com

EU PENSO, PORTANTO, EU SOU.

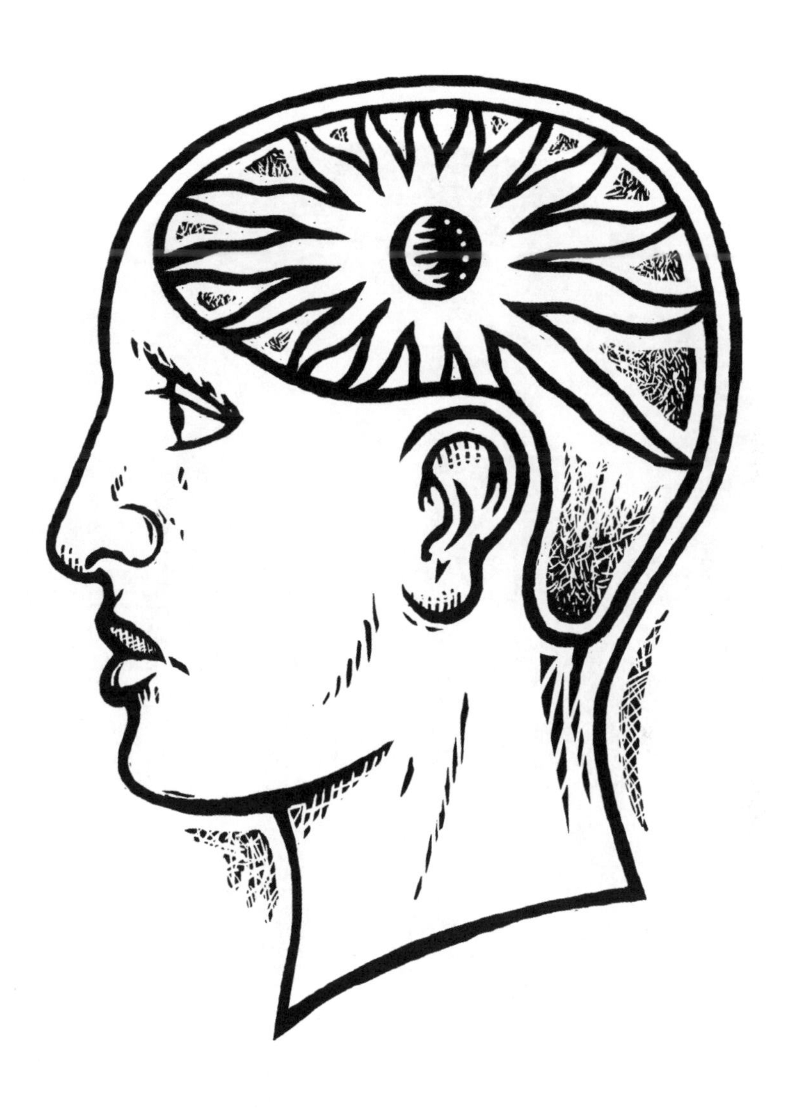

Essa imagem ilustra a famosa frase de Descartes: "Penso, logo existo" — "Eu penso, portanto, eu sou". Esse argumento foi a pedra angular da filosofia de Descartes, e aceitar isso como fato lhe possibilitou seguir adiante na tentativa de provar a existência de Deus — uma perfeição filosófica.

Crédito da imagem: istockphoto.com/zuki

São Tomás de Aquino escreveu um número inacreditável de textos filosóficos, que abordam os mais diferentes assuntos, desde a filosofia natural e o trabalho de Aristóteles até a teologia e a Bíblia. É em seu trabalho mais renomado e extenso, *Suma Teológica*, em que o texto filosófico mais famoso de Aquino, "As Cinco Vias", é encontrado. Nele, Aquino demonstra a existência de Deus.

Crédito da foto: Wikimedia Commons Via The Yorck Project

Se FMentiroso diz a verdade, então, isso significa que "Essa sentença é falsa" é verdade e, portanto, o que diz FMentiroso tem de ser falso. Como FMentiroso é simultaneamente verdadeiro e falso, isso cria uma contradição e um paradoxo.

Se FMentiroso diz uma falsidade, então, isso significa que "Essa sentença é falsa" é falsa e, portanto, FMentiroso tem de ser verdadeiro. Como FMentiroso é simultaneamente verdadeiro e falso, isso cria uma contradição e um paradoxo.

A simples inverdade do mentiroso

Essa forma do paradoxo não opera com a falsidade e, em vez disso, constrói-se com base no predicado "é não real", que é o seguinte:

IMentiroso: "IMentiroso é não real".

Como no exemplo anterior, se IMentiroso é não real, então, isso é verdadeiro; e, se for real, então isso é não real. Mesmo que IMentiroso não fosse nem verdadeiro nem falso, isso significaria que isso é não real e, como é precisamente isso que ele afirma, IMentiroso é real. Portanto, surge outra contradição.

CICLOS DO MENTIROSO

Até aqui, vimos somente exemplos do paradoxo do mentiroso que são autorreferentes. No entanto, mesmo removendo a natureza autorreferente dos paradoxos, ainda surgem contradições. O ciclo do mentiroso afirma o seguinte:

- "A próxima sentença é verdade."
- "A sentença anterior não é verdade."

Se a primeira sentença é verdadeira, então, a segunda é verdadeira, o que tornaria a primeira sentença não real, criando uma contradição. Se a primeira sentença não é verdade, então, a segunda é falsa, o que tornaria a primeira sentença verdadeira, criando uma contradição.

POSSÍVEIS SOLUÇÕES DO PARADOXO DO MENTIROSO

O paradoxo do mentiroso tem sido fonte de debates filosóficos e, ao longo dos anos, os filósofos criaram soluções bem conhecidas, que possibilitam escapar das contradições.

A solução de Arthur Prior

O filósofo Arthur Prior afirma que, por fim, o paradoxo do mentiroso não é um paradoxo completo. Para ele, cada sentença já contém uma implicação de sua própria verdade. Desse modo, uma frase como "Essa sentença é falsa" é realmente o mesmo que dizer "Essa sentença é verdadeira e essa sentença é falsa". Isso cria uma contradição simples e, como não é possível haver algo que seja verdadeiro e falso, tem de ser falso.

A solução de Alfred Tarski

De acordo com o filósofo Alfred Tarski, o paradoxo do mentiroso só pode surgir em uma língua que seja "semanticamente fechada". Isso se refere a quaisquer línguas com a capacidade de formar frases que afirmem a verdade ou falsidade de si mesmas ou de outras sentenças. Para evitar essas contradições, Tarski acreditava que houvesse níveis de linguagens e que a verdade ou a falsidade só poderiam ser afirmadas por uma língua superior à daquelas sentenças. Ao criar essa hierarquia, ele foi capaz de evitar as contradições autorreferentes. Qualquer língua que seja superior na hierarquia pode se referir a uma inferior; mas não vice-versa.

A solução de Saul Kripke

Segundo Saul Kripke, para ser considerada paradoxal, uma sentença depende dos fatos contingentes. Ele afirmava que, quando o valor de verdade de uma frase está vinculado a um fato do mundo que pode ser avaliado, então, a sentença é "fundamentada". Contudo, se o valor de verdade não está vinculado a um fato avaliável, então, a afirmação não tem valor. As frases do paradoxo do mentiroso e outras similares não são fundamentadas e, assim, não contêm valor de verdade.

A solução de Jon Barwise e John Etchemendy

Para Barwise e Etchemendy, o paradoxo do mentiroso é ambíguo. Os dois distinguem "desmentir" e "invalidar". Se o mentiroso afirma "Essa sentença não é real", então, ele está negando a si mesmo. Se o mentiroso afirma "Não é o caso dessa sentença ser real", então, ele está desmentindo a si mesmo. De acordo com eles, o mentiroso que nega a si mesmo pode ser falso sem contradição, e o mentiroso que desmente a si mesmo pode ser verdadeiro sem contradição.

A solução de Graham Priest

O filósofo Graham Priest propôs o dialeteísmo, a noção de que existem contradições reais — aquelas que são simultaneamente verdadeiras e falsas. Ao acreditar nisso, o dialeteísmo tem de rejeitar o bastante conhecido e aceito princípio de explosão,[6] que afirma que todas as proposições podem ser deduzidas das contradições, a menos que também aceite o trivialismo, a noção de que toda proposição é verdadeira. No entanto, como o trivialismo é instintivamente falso, o princípio de explosão é quase sempre rejeitado por aqueles que são adeptos do dialeteísmo.

6 Princípio de explosão – na lógica clássica, se algo é verdadeiro e não verdadeiro simultaneamente, é possível inferir qualquer conclusão a partir disso. (N.T.)

THOMAS HOBBES (1588-1679)

Um novo sistema filosófico

Thomas Hobbes nasceu em 5 de abril de 1588, em Malmesbury, na Inglaterra. Como seu pai desapareceu ainda jovem, o tio de Hobbes pagou sua educação e, quando ele completou 14 anos, foi estudar em Magdalen Hall, em Oxford. Em 1608, deixou Oxford e se tornou tutor do filho mais velho de lorde Cavendish, de Hardwick. Em 1631, enquanto era tutor de outro integrante da família Cavendish, Hobbes começou a se concentrar em suas ideias filosóficas e escreveu sua primeira obra publicada, *Breve tratado sobre os primeiros princípios*.

Sua associação com a família Cavendish provou-se bastante benéfica. Hobbes pôde participar dos debates parlamentares; contribuiu com as discussões a respeito do rei, os proprietários de terras e os políticos; e teve a oportunidade de observar diretamente como o governo estava estruturado e era influenciado. Durante tempos muito tumultuados entre o Parlamento e o rei, ele se mostrou um monarquista convicto e até mesmo escreveu seu primeiro livro de filosofia política, *Os elementos da lei natural e política*, em defesa do rei Carlos I. No início da década de 1640, quando cresciam os conflitos que se tornariam a Guerra Civil Inglesa (1642-1651), Hobbes deixou o país e se mudou para a França, onde permaneceu por onze anos. Foi nesse período, que ele produziu seu trabalho mais importante (incluindo seu livro mais famoso, *Leviatã*, publicado dois anos após a execução do rei Carlos I).

Thomas Hobbes foi um pensador notavelmente independente. Durante a Guerra Civil Inglesa, enquanto a maioria dos favoráveis à monarquia começava a amenizar seus argumentos ao expressar apoio à Igreja na Inglaterra, ele, que era um dos mais proeminentes defensores da realeza, seguia proclamando seu desagrado, o que o baniu da corte. Mesmo um monarquista convicto, Hobbes não considerava que o rei governava por direito divino; em vez disso, afirmava que se tratava de um contrato social com o apoio do povo.

Para ele, era necessária uma revisão geral de toda a filosofia e, assim, criou um sistema único e global, que fosse capaz de servir de base para absolutamente todo o conhecimento. A raiz de seu sistema filosófico estava em sua crença de que todos os fenômenos no universo podiam ser rastreados até a origem na matéria e no movimento. No entanto, ele rejeitava o conceito de que o método experimental e a observação da natureza podiam servir de base para o conhecimento. Em vez disso, a filosofia de Hobbes era dedutiva e fundamentada nos universalmente aceitos "primeiros princípios".

AS FILOSOFIAS DE THOMAS HOBBES

Visão do conhecimento

Hobbes acreditava que basear a filosofia e a ciência apenas na observação da natureza era muito subjetivo porque os humanos têm a capacidade de ver o mundo de muitas maneiras. Ele rejeitava o trabalho de Francis Bacon e Robert Boyle, que aplicavam o raciocínio indutivo da natureza para chegar a conclusões filosóficas e científicas. Em vez disso, Hobbes propunha que o propósito da filosofia é estabelecer um sistema de verdades com base em princípios universais e fundamentais, que possa ser demonstrado por qualquer um pela linguagem e com o qual todos concordem.

Em sua busca por uma filosofia baseada em princípios universais, Hobbes tomou a geometria como modelo e afirmou que esse era o primeiro princípio universal. Com seu raciocínio dedutivo, ele acreditou que a geometria fosse o modelo da verdadeira ciência e aplicava essa noção para desenvolver sua filosofia política.

Visão da natureza humana

Thomas Hobbes não acreditava no dualismo ou na existência da alma. Segundo ele, os humanos eram como máquinas; feitas de matéria e com funções que podiam ser explicadas por processos mecânicos (por exemplo, a sensação é causada por processos mecânicos no sistema nervoso). Dessa forma, afirmava que os humanos evitam a dor e perseguem o prazer como um esforço na busca do próprio interesse (o que tornaria o julgamento humano extremamente inconfiável) e que nossos pensamentos e nossas emoções são baseados em causa-efeito e ação-reação. Para Hobbes, o julgamento humano precisava ser guiado pela ciência, que, no livro *Leviatã*, ele denominou de "o conhecimento das consequências".

Para ele, a sociedade era uma máquina semelhante que, embora artificial, também seguia as mesmas leis. Além disso, acreditava que todos os fenômenos de todo o universo podiam ser explicados pelas interações e pelos movimentos dos corpos materiais.

MEDO, ESPERANÇA E CONTRATO SOCIAL

Para Hobbes, a moralidade não existia no estado natural do ser humano. Então, quando fala em bem e mal, refere-se a "bem" como algo desejado pelas pessoas e a "mal" como algo que as pessoas evitam. Com base nessas definições, busca explicar diversos comportamentos e emoções. Segundo a definição de Hobbes, a esperança é a possibilidade de alcançar um bem aparente e o medo é o reconhecimento de que o bem aparente não será alcançado (embora essa definição só seja sustentável se considerar os humanos livres das restrições das leis e da sociedade). Como o bem e o mal baseiam-se em desejos individuais, as regras que tornam algo bom ou mau não podem existir.

Segundo Hobbes, a constante oscilação entre os sentimentos de esperança e medo é o princípio definidor de toda ação humana, e ele afirmava que um dos dois estava sempre presente em todas as pessoas em determinado momento.

Ele descreve o "estado natural" humano como o desejo instintivo de alcançar o máximo possível de bem e poder. Esse desejo e a falta de leis que impeçam alguém de prejudicar os outros criam um constante estado de guerra. E essa guerra constante no estado natural significa que os humanos devem viver em constante medo uns dos outros. No entanto, quando a razão e o medo se combinam, isso faz com que os humanos sigam o estado natural (o desejo de alcançar o máximo possível de bem) e busquem a paz. Além disso, o bem e o mal não podem existir até que uma suprema autoridade da sociedade estabeleça as regras.

Hobbes declara que a única maneira de a paz ser verdadeiramente alcançada é a reunião dos humanos para criar um contrato social, no qual o grupo concorde em ter uma suprema autoridade para governar a comunidade. Nesse contrato social, o medo serve a dois propósitos:

1. Cria o estado de guerra no estado natural, o que torna necessário o contrato social.
2. Sustenta a paz interna na comunidade (permitindo que a suprema autoridade introduza o medo em todos pela punição daqueles que quebram o contrato).

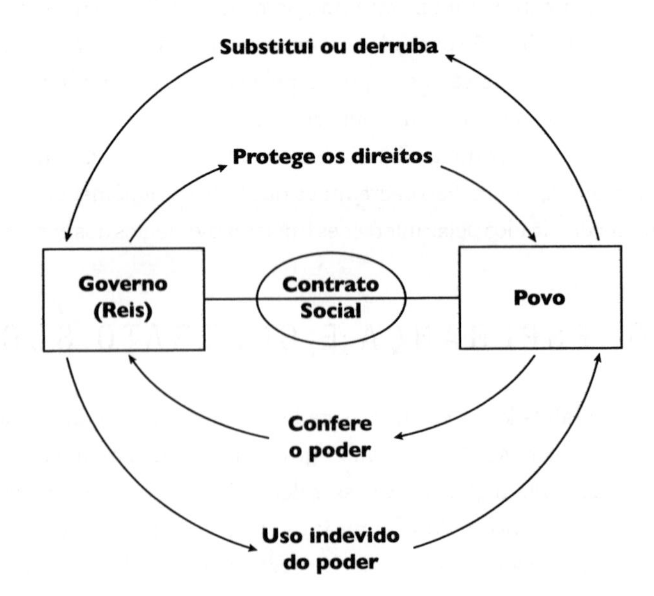

Visão do governo

Embora em seus textos iniciais Hobbes afirmasse que a sociedade necessitava de um poder soberano supremo, no livro *Leviatã*, ele esclarece sua posição: a monarquia absoluta é a melhor forma de governo e a única maneira de oferecer paz a todos.

Hobbes acreditava que o facciosismo interno à sociedade, como autoridades rivais ou a luta entre Igreja e Estado, levava somente à guerra civil. Assim, para manter a paz para todos, em uma sociedade todas as pessoas devem concordar em ter uma figura de autoridade para controlar o governo, legislar e se encarregar da Igreja.

FILOSOFIA DA LINGUAGEM

O que é a linguagem?

No final do século XIX, enquanto as teorias em lógica avançavam e as filosofias da mente mudavam drasticamente conceitos anteriores, ocorreu uma revolução na compreensão da linguagem. Esse evento ficou conhecido como a "virada linguística". Os filósofos passaram a dar foco ao significado da linguagem, seu uso e sua cognição e como a linguagem e a realidade se relacionam uma com a outra.

COMPOSIÇÃO DAS FRASES E APRENDIZADO

A filosofia da linguagem tenta compreender como o significado surge das partes que compõem uma sentença. Com o objetivo de entender o significado da linguagem, é preciso examinar antes a relação entre as frases inteiras e as partes significativas que as formam. De acordo com o princípio da composicionalidade, uma sentença pode ser entendida com base na compreensão da estrutura (sintaxe) e no significado das palavras.

Existem dois métodos aceitos para entender como o significado surge de uma frase:

Exemplo de árvore sintática

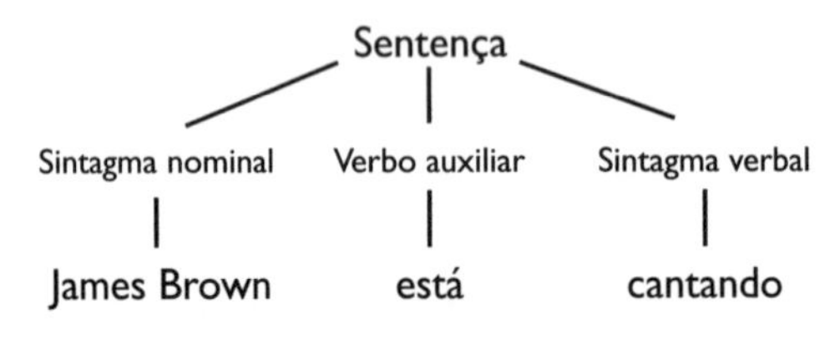

Exemplo de (um tipo) árvore semântica

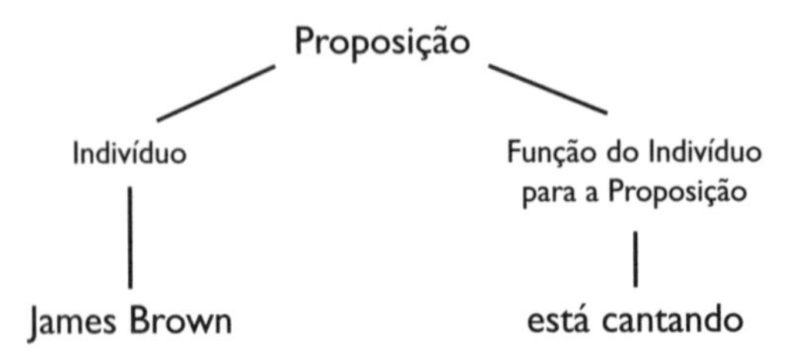

A árvore sintática foca a gramática e as palavras que compõem a sentença enquanto a árvore semântica se volta para o significado das palavras e a combinação desses significados.

Em relação ao aprendizado de línguas, existem três principais escolas de pensamento:

1. **Inatismo:** a noção de que algumas regras sintáticas são inatas e localizadas em determinadas partes do cérebro.
2. **Comportamentalismo:** a noção de que grande parte da linguagem é aprendida pelo condicionamento.
3. **Teste de hipótese:** a noção de que as crianças aprendem as regras sintáticas através de postulação e teste de hipótese.

SIGNIFICADO

As raízes da "virada linguística" ocorreram em meados no século XIX, na medida em que a linguagem começou a ser vista como o ponto focal da representação do mundo e da compreensão das crenças, e que os filósofos passaram a enfatizar o seu significado.

John Stuart Mill

Em seu trabalho no empirismo, John Stuart Mill examinou o significado das palavras em relação aos objetos a que se referem. Segundo ele, para que as palavras tivessem significado, uma pessoa deveria ser capaz de explicá-las com base na experiência. Assim, as palavras significam impressões derivadas dos sentidos.

Embora alguns discordassem dessa visão empiricista, muitos filósofos concordaram com a convicção de Mill de que a denotação deve ser a base do significado e não a conotação.

Definições filosóficas

DENOTAÇÃO: quando a definição de uma palavra é o significado literal daquilo que descreve. Por exemplo, usar a palavra cobra para descrever o verdadeiro réptil a que a palavra se refere.

CONOTAÇÃO: quando a definição de uma palavra sugere uma qualidade ou atributo. Por exemplo, usar a palavra cobra para significar "diabo".

John Locke

De acordo com John Locke, as palavras não representam objetos externos; em vez disso, elas representam ideias internas à mente da pessoa que está falando. Embora, presumidamente, essas ideias representem as coisas, ele considerava que a acurácia da representação não afetava o significado das palavras.

Com isso em mente, Locke tentou eliminar as falhas naturais do uso da linguagem. Para isso, ele sugeriu o seguinte: as pessoas nunca deveriam usar as palavras sem ter uma ideia clara de seu significado; as pessoas deveriam tentar identificar os mesmos significados das palavras usadas pelos outros de modo que tivessem um vocabulário comum; as pessoas deveriam usar as palavras de maneira consistente; e, se o significado de uma palavra não está bem claro, alguém deveria, então, defini-la mais claramente.

Gottlob Frege

O trabalho do matemático e filósofo alemão Gottlob Frege focou principalmente a lógica. No entanto, à medida que suas investigações lógicas se tornaram mais profundas, percebeu que, para continuar a buscar seu objetivo, tinha antes de compreender a linguagem. Então, ele desenvolveu um dos mais inovadores trabalhos em filosofia da linguagem.

Frege questionou identidades, nomes e a expressão a = b. Por exemplo, Mark Twain é Samuel Clemens.[7] No entanto, se a = b é informativo, como a = a pode ser trivial e não oferecer nenhuma nova informação?

Para Frege não apenas os objetos são relevantes para o significado de uma sentença, mas também como eles são apresentados. As palavras referem-se a coisas no mundo exterior — porém, os nomes contêm mais significado do que apenas fazer referência aos objetos. Ele dividiu sentenças e expressões em duas partes: o sentido e a referência (significado). Para Frege, o sentido é o pensamento objetivo, universal e abstrato que a sentença expressa e o "modo de apresentação" do objeto que é referido. A referência, ou significado, de uma sentença é o objeto no mundo real a que a sentença se refere. A referência representa um valor-real (seja verdadeiro ou falso) e é determinada pelos sentidos.

Frege expressou sua teoria como um triângulo:

---

7 Samuel Langhorne Clemens (1835-1910) é o nome real do escritor norte-americano Mark Twain, autor, entre outras obras, de *As aventuras de Tom Sawyer.* (N.T.)

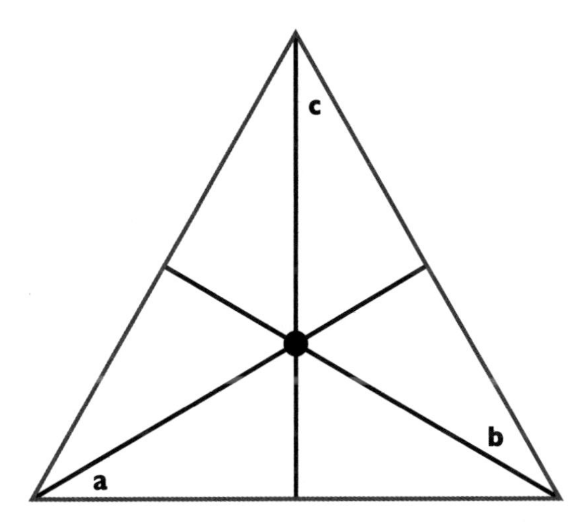

A intersecção das linhas *a* e *b* é a mesma intersecção das linhas *b* e *c*. Dessa maneira, essa afirmação é informativa porque estamos diante de dois modos de apresentação. Dizer que a intersecção das linhas *a* e *b* é a mesma intersecção das linhas *a* e *b* só oferece um modo de apresentação e, portanto, é trivial.

Frege conclui que um nome contém três partes (embora nem todas as três sejam necessárias em cada caso):

1. **Símbolo:** a palavra ou palavras usadas (por exemplo, Mark Twain).
2. **Sentido:** o modo de chegar ao que é referido pelo símbolo (por exemplo, as implicações psicológicas que temos de Mark Twain — ele é humorista; ele é autor do livro *Tom Sawyer* etc.).
3. **Referente:** o objeto real referido (por exemplo, Mark Twain também é Samuel Clemens, que também é autor de *Tom Sawyer*).

O USO DA LINGUAGEM

A intencionalidade é outra questão importante quando se trata da filosofia da linguagem, sendo definida como o estado mental particular dirigido aos objetos ou às coisas no mundo real. A intencionalidade não se relaciona à intenção de alguém para fazer ou não fazer algo, mas, em vez disso, é a capacidade que temos de pensar *em relação* a algo. Por exemplo, você pode ter uma crença em relação às montanhas-russas, mas uma montanha-russa em si mesma não pode se relacionar a nada. Assim, os estados mentais como medo, esperança e desejo têm de ser intencionais porque tem de haver um objeto que é referido.

O filósofo alemão do século XIX Franz Brentano argumentava que somente os fenômenos mentais podiam apresentar intencionalidade. Mais tarde, no século XX, o filósofo John Searle questionou como a mente e a linguagem têm a habilidade de forçar a intencionalidade na direção de objetos, quando esses objetos não são intencionais por si mesmos. Em sua teoria dos atos da fala, Searle conclui que as ações também têm intencionalidade, porque a linguagem é uma forma de comportamento humano e uma ação em si mesma. Dessa forma, ao não falar nada, alguém está, na realidade, desempenhando uma ação e a intencionalidade está presente nas ações.

Em uma discussão muito comentada sobre inteligência artificial, Searle afirmou que as máquinas nunca terão a habilidade de pensar. Para ele, falta intencionalidade às máquinas e apenas a mente organizada, como a dos seres humanos, é capaz de ser intencional.

METAFÍSICA

Filosofia primeira

Aristóteles era um adepto convicto da metafísica, que ele chamava de "filosofia primeira" e que, sob muitos aspectos, pode ser considerada o alicerce de todas as filosofias. A metafísica se concentra na natureza e na existência do ser e faz perguntas profundas e complexas em relação a Deus, nossa existência, se existe um mundo fora de nossa mente e sobre o que é a realidade.

Originalmente, Aristóteles dividiu a metafísica em três ramos, que são usados até hoje:

1. **Ontologia**: o estudo da existência e do ser, incluindo entidades mentais e físicas e o estudo da mudança.
2. **Ciência universal**: o estudo da lógica e da razão, considerados os "primeiros princípios".
3. **Teologia natural**: o estudo de Deus, da religião, da espiritualidade e da criação.

A EXISTÊNCIA EXISTE

Na metafísica, a existência é definida como um estado continuado de ser. "A existência existe" é o famoso axioma resultante da metafísica; é simplesmente a afirmação de que existe algo em vez de nada. A raiz de todo pensamento de uma pessoa é a noção de que ela está consciente de algo, o que é prova de que algo tem de existir. Assim, se algo tem de existir, isso deve significar que a existência tem de existir. A existência é necessária e exigida para que haja qualquer tipo de conhecimento.

Quando alguém nega a existência de algo, ele está dizendo que algo não existe. No entanto, até mesmo o ato de negar só é possível se a existência existir. Para que qualquer coisa exista, é preciso que tenha uma identidade. Tudo o que existe, existe enquanto algo, pois de outra forma isso seria nada e não existiria.

Para que alguém tenha um pensamento em relação a algo, ele tem de estar consciente. Dessa maneira, de acordo com René Descartes, a consciência tem de existir porque uma pessoa não pode negar a existência da mente enquanto a usa para fazer essa negação. O axioma de Descartes, porém, estava incorreto, porque ele acreditava que uma pessoa tem a habilidade de estar consciente sem que haja algo pelo qual estar consciente. No entanto, não é esse o caso.

A consciência é justamente a faculdade de perceber o que existe. Estar consciente significa que alguém percebe algo, então, para funcionar, a consciência requer que haja algo exterior a si mesmo. Assim, a consciência não somente requer a existência; é também dependente dela. Portanto, o axioma da consciência de Descartes (ter consciência de que está consciente) não é válido, pois estar consciente exige a existência de algo externo.

OBJETOS E PROPRIEDADES

Na metafísica, os filósofos tentam entender a natureza dos objetos e as suas propriedades. De acordo com essa teoria, o mundo é feito de coisas, conhecidas como objetos ou particulares, que podem ser tanto físicos quanto abstratos. Esses particulares compartilham determinadas qualidades ou atributos uns com os outros e os filósofos se referem a esses pontos comuns como os universais ou propriedades.

Quando os filósofos tentam explicar que as propriedades podem existir em mais de um lugar simultaneamente, eles se deparam com o que é chamado de "o problema dos universais". Por exemplo, uma maçã vermelha e um carro vermelho podem existir simultaneamente, portanto, existe um tipo de propriedade que seja a "vermelhidão"? Se a vermelhidão realmente existe, o que é ela? As diferentes escolas de pensamento respondem a essa questão de sua própria maneira:

- de acordo com o realismo platônico, a vermelhidão realmente existe, mas existe fora do espaço-tempo;
- de acordo com formas mais moderadas de realismo, a vermelhidão existe dentro do espaço-tempo;
- de acordo com o nominalismo, os universais, como a vermelhidão, não existem independentemente; eles existem apenas enquanto nomes.

Essas ideias sobre existência e as propriedades conduzem a um dos mais importantes aspectos da metafísica: a identidade.

IDENTIDADE

Na metafísica, a identidade é definida como tudo aquilo que torna uma entidade reconhecível. Todas as entidades têm características específicas e qualidades, o que possibilita que sejam definidas e diferenciadas umas das outras. Como

Aristóteles afirmou em sua lei da identidade, para existir, uma entidade tem de ter uma identidade particular.

Ao discutir o que é a identidade de uma entidade, surgem dois conceitos muito importantes: mudança e causalidade.

Muitas entidades podem parecer instáveis. Casas podem desmoronar; ovos podem quebrar; plantas podem morrer; e assim por diante. No entanto, essas entidades não são instáveis; esses objetos estão simplesmente sendo afetados pela causalidade e mudando com base em suas identidades. Dessa forma, a identidade precisa ser explicada com base em suas partes constitutivas e em como essas partes interagem entre si. Em outras palavras, a identidade de uma entidade é a soma de suas partes. Uma pessoa pode descrever uma casa falando sobre como as diferentes partes de madeira, vidro e metal interagem umas com as outras de uma maneira específica para formá-la ou pode definir a identidade da casa com base em sua formação atômica.

Para alterar uma identidade, uma mudança (causada por uma ação) tem de ocorrer. A lei da causalidade afirma que todas as causas têm efeitos específicos que são dependentes das identidades originais das entidades.

Atualmente, três principais correntes discutem a questão da mudança:

1. **Perdurantismo**: essa é a noção de que os objetos têm quatro dimensões. De acordo com o perdurantismo, os objetos têm partes temporais (partes que existem no tempo) e, a cada momento da existência, os objetos existem somente parcialmente. Então, por exemplo, existe uma série de estágios na vida de uma árvore.
2. **Durantismo**: essa é a noção de que os objetos são os mesmos e completos ao longo de cada momento da própria história. Então, por exemplo, enquanto uma árvore perde suas folhas, ela ainda é considerada a mesma árvore.
3. **Essencialismo mereológico**: essa noção considera que as partes de um objeto são essenciais para o objeto. Dessa forma, o objeto não consegue perdurar se uma de suas partes mudar. De acordo com o essencialismo mereológico, quando uma árvore perde suas folhas, ela não é mais a mesma árvore.

Como a metafísica trata de questões relacionadas à nossa existência e ao que realmente significa estar no mundo, ela aborda diversos aspectos filosóficos. E é justamente por essa razão que a metafísica é frequentemente considerada a fundação da filosofia ou a "filosofia primeira".

JEAN-PAUL SARTRE (1905-1980)

Pioneiro do existencialismo

Jean-Paul Sartre nasceu em 21 de junho de 1905, em Paris, na França. Quando seu pai morreu em 1906, Sartre e a mãe foram morar na casa do avô materno, Karl Schweitzer, que era um respeitado escritor nas áreas de filosofia e religião. As crenças religiosas do avô mostraram-se um ponto de discórdia entre os dois, mas, embora Sartre se ressentisse da presença de Schweitzer, aceitava-o como tutor.

Estudou filosofia na prestigiada universidade École Normale Supérieure em 1924 e, quatro anos mais tarde, conheceu sua colega de estudos e companheira de vida, Simone de Beauvoir (que viria a escrever o livro *O segundo sexo*, considerado um dos mais importantes textos feministas já produzidos). Depois de se graduar, Sartre se alistou no exército e, então, empregou-se como professor. Em 1933, ele se mudou para Berlim para estudar filosofia com Edmund Husserl e, enquanto esteve na Alemanha, também se tornou amigo de Martin Heidegger. O trabalho desses dois homens teve um impacto profundo na filosofia de Sartre e, em 1938, ele publicou a novela filosófica, *A náusea*.

Em 1939, no início da Segunda Guerra Mundial, foi convocado pelo exército francês. No ano seguinte, foi capturado pelos alemães e mantido prisioneiro de guerra durante nove meses. Nesse período, Sartre começou a escrever seu mais famoso trabalho existencial, *O ser e o nada*. Em 1941, retornou a Paris e, dois anos mais tarde, o livro foi publicado, tornando-o famoso aos olhos do público e estabelecendo sua posição como um intelectual-chave da era do Pós-guerra.

Em seguida, Sartre trabalhou como editor no jornal *Les Temps Modernes*, no qual teve a oportunidade de escrever e lapidar continuamente sua filosofia, focando o mundo social e político da época e tornando-se um ativista político, compromisso que manteve até o final da vida. Socialista convicto, ele apoiou a União Soviética durante a Guerra Fria (apesar de ser crítico do totalitarismo implementado pelo governo), reuniu-se com Fidel Castro e Che Guevara, opôs-se à Guerra do Vietnã e ficou famoso como porta-voz contra a colonização da Argélia pela França.

Sartre foi um escritor prolífico. Em 1964, foi agraciado com o prêmio Nobel de Literatura, que ele recusou (tornando-se a primeira personalidade a tomar essa atitude), afirmando que nenhum escritor deveria ser transformado em uma instituição e que as culturas do Leste e do Oeste deveriam ser capazes de fazer intercâmbio sem nenhuma intervenção. Durante sua longa carreira de escritor, Sartre produziu livros de filosofia, filmes e peças.

OS TEMAS FILOSÓFICOS DE JEAN-PAUL SARTRE

Embora os objetivos do ativismo político tenham ocupado sua vida madura, o trabalho inicial de Sartre no existencialismo é considerado uma das mais profundas obras filosóficas já produzidas.

Conhecimento do eu

Sartre considerava que cada pessoa individualmente era um "ser por si mesmo" que tinha autoconsciência. Segundo ele, as pessoas não possuíam uma natureza essencial. Em vez disso, tinham uma autoconsciência e uma consciência, que sempre poderiam ser modificadas. Se uma pessoa acredita que seu lugar na sociedade determina sua percepção de *self* ou que essa visão não pode ser mudada, ela está enganando a si mesma. Dizer a alguém "é apenas assim que eu sou" também é um autoengano.

Segundo Sartre, a autoatualização, o processo de fazer algo com o que alguém já foi feito, é sempre possível. Para isso, a pessoa precisa reconhecer o que Sartre chama de "facticidade" — as realidades (baseadas em fatos) que ocorrem externamente ao indivíduo e que agem sobre ele. O indivíduo também deve compreender que ele possui uma consciência independentemente daquelas realidades.

Sartre considerava que o único tipo de perspectiva realmente autêntica é a compreensão de que, embora um indivíduo seja responsável por sua consciência, a consciência do eu nunca será idêntica à consciência efetiva.

Ser-em-si e Ser-para-si

Para Sartre, existem dois tipos de ser:

- ***en-soi* (ser-em-si):** coisas que têm uma essência que é ao mesmo tempo definível e completa; no entanto, não têm consciência de sua essência completa ou de si mesmas. Por exemplo: pedras, pássaros e árvores.
- ***pour-soi* (ser-para-si):** coisas que são definidas em virtude de terem consciência e de estarem conscientes de que existem (como os humanos) e estão também conscientes de que não possuem a essência completa associada ao ser-em-si.

O papel do outro

Sartre afirma que uma pessoa (ou o ser-para-si) só se torna consciente de sua existência, quando vê outro ser-para-si o observando. Portanto, a pessoa somente se torna consciente da própria identidade quando é vista pelos outros, que também possuem consciência. Ou seja, uma pessoa somente compreende a si mesma em relação aos outros.

Ele vai além e afirma que encontrar "O Outro" pode ser complexo de início porque uma pessoa pode achar que o outro ser consciente o está vendo como um objeto no que se refere a aparência, tipo e essência (mesmo que seja na imaginação). Como resultado, uma pessoa pode, então, tentar ver "Os Outros" como objetos simples e definíveis e sem nenhuma consciência. De acordo com Sartre, é a partir da ideia de Outro que vemos o racismo, o sexismo e o colonialismo.

Responsabilidade

Sartre acreditava que todos os indivíduos tinham uma liberdade essencial e que as pessoas eram responsáveis por suas ações, suas consciências e todos os demais aspectos de si mesmas. Mesmo que um indivíduo não queira assumir a responsabilidade por si mesmo, segundo Sartre, essa é uma decisão consciente e ele será responsável pelos resultados de sua inação.

Com base nessa noção, ele explica que a ética e a moral são subjetivas e relacionadas à consciência do indivíduo. Desse modo, nunca haverá nenhum tipo de ética ou moralidade universais.

Liberdade

À medida que se dedicou mais às questões políticas, Sartre examinou como a consciência e a liberdade individuais se encaixavam em estruturas sociais como o racismo, sexismo, colonialismo e a exploração capitalista. Ele disse que essas estruturas não reconheciam a liberdade e a consciência individuais e, em vez disso, objetificavam as pessoas.

Ele acreditava que as pessoas sempre tinham liberdade. Não importa quão objetificado um indivíduo pudesse estar, o fato de a liberdade e a consciência existirem significava que os indivíduos ainda tinham a capacidade de fazer algo acontecer. Para Sartre, a liberdade e a consciência inerentes são ao mesmo tempo uma dádiva e uma maldição. Embora a liberdade possibilite que alguém mude o rumo da própria vida, há também um grau de responsabilidade que vem junto com essa possibilidade de mudança.

LIVRE-ARBÍTRIO

Podemos agir livremente?

Ao discutir o livre-arbítrio, os filósofos olham para duas questões:

1. o que significa escolher livremente;
2. quais são as implicações morais dessas decisões.

No entanto, ao examinar essas duas noções, surgem mais questões, e os filósofos assumem diferentes abordagens para tentar respondê-las.

COMPATIBILISMO E INCOMPATIBILISMO

Aqueles que acreditam no compatibilismo (também conhecido como determinismo moderado) afirmam que o ser humano tem livre-arbítrio — porém, esse livre-arbítrio é visto como compatível com o determinismo (que é causal e, como a filosofia afirma que nada é por acaso; tudo o que ocorre é resultado do que aconteceu antes, e tudo em relação a você e tudo o que você faz é inevitável).

De acordo com o compatibilismo, os humanos podem ser agentes livres (e ter livre-arbítrio) quando estiverem livres de certas restrições. Para o determinismo e o compatibilismo, a personalidade e as características das pessoas são determinadas por fatores fora do alcance delas (genética, educação etc.). No entanto, para o compatibilismo, a existência dessas restrições não significa que a pessoa também não possa ter livre-arbítrio porque ela pode agir fora daqueles fatores determinantes. A definição de livre-arbítrio no compatibilismo é a de que uma pessoa é livre para escolher como agir na medida do possível graças a sua formação pessoal.

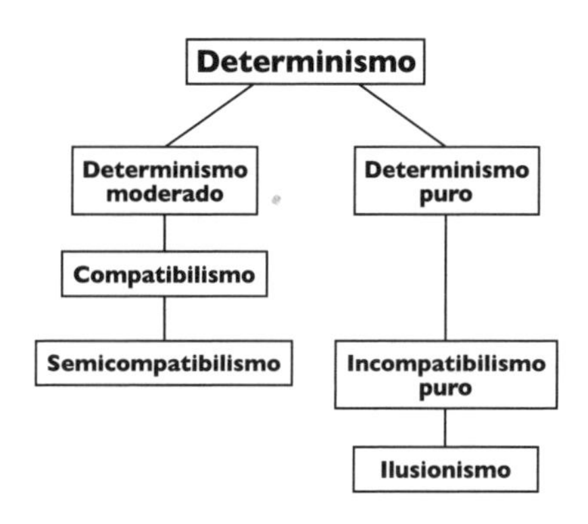

No entanto, se o determinismo não é considerado uma restrição no compatibilismo, então, o que é? Segundo o compatibilismo, uma restrição é qualquer tipo de coerção externa. O livre-arbítrio, assim, é definido como liberdade de ação. Contanto que um indivíduo seja capaz de tomar as próprias decisões (mesmo que já estejam determinadas) livre de forças externas (como o aprisionamento), então, ele tem livre-arbítrio.

Em contrapartida, alguns não acreditam no compatibilismo e preferem o incompatibilismo, afirmando que o determinismo é simplesmente incompatível com o livre-arbítrio. Por exemplo, como alguém pode ter livre-arbítrio se cada uma de suas decisões está predeterminada desde o nascimento?

Isso, porém, não quer dizer necessariamente que o incompatibilismo afirme que o livre-arbítrio existe ou não existe. De fato, o incompatibilismo pode ser dividido em três partes:

1. **Determinismo puro**: que nega a existência do livre-arbítrio.
2. **Libertarianismo metafísico**: que afirma que o livre-arbítrio realmente existe e nega a existência do compatibilismo.
3. **Incompatibilismo pessimista**: que afirma que nem o livre-arbítrio nem o compatibilismo são verdadeiros.

A ilustração anterior mostra diversas ramificações do compatibilismo e do incompatibilismo:

- **Semicompatibilismo:** é a noção de que o determinismo é compatível com a responsabilidade moral.
- **Incompatibilismo puro:** é a crença de que a responsabilidade moral e o livre-arbítrio não são compatíveis com o determinismo.
- **Ilusionismo:** é a crença de que o livre-arbítrio é apenas uma ilusão.

Os incompatibilistas, apesar de negarem o determinismo, aceitam que eventos aleatórios ocorrem no mundo (sejam mentais, biológicos, físicos etc.) e, portanto, a aleatoriedade e os acidentes realmente existem. Isso, então, cria cadeias imprevisíveis de eventos futuros (em oposição ao futuro predeterminado dos deterministas).

Outra forma de incompatibilismo, o libertarianismo metafísico, surge a partir de quatro diferentes ramos da causalidade:

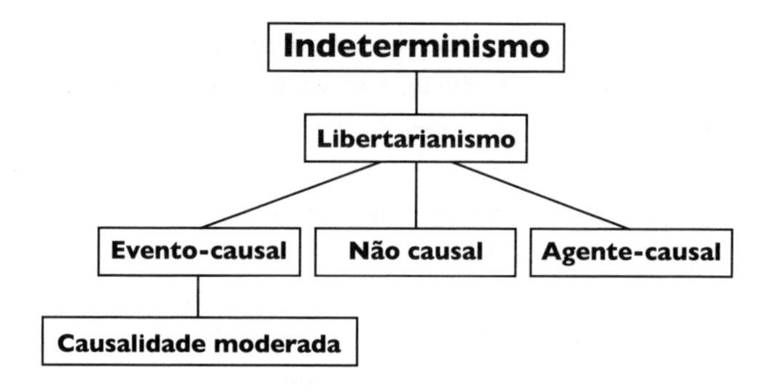

Essa ilustração apresenta as seguintes opções:

- **Libertarianismo evento-causal:** é a noção de que alguns eventos não são previsíveis a partir de eventos passados e não têm causa.
- **Causalidade moderada**: é a crença de que a maioria dos eventos é determinada, enquanto alguns não são previsíveis.
- **Libertarianismo agente-causal:** é a crença de que novas cadeias causais podem se formar sem ser determinadas por eventos passados ou pelas leis da natureza.
- **Libertarianismo não causal:** é a ideia de que, para tomar decisões, não é necessária nenhuma causa. Para os compatibilistas, os humanos podem ser agentes livres (e têm livre-arbítrio) quando estão livres de certas restrições e a personalidade e outras características são determinadas por fatores fora de nosso controle (genética ou educação). Já os incompatibilistas negam que o determinismo desempenhe um papel no livre-arbítrio e aceitam que eventos aleatórios e acidentes aconteçam no mundo (sejam mentais, biológicos ou físicos).

RESPONSABILIDADE

Quando se trata de livre-arbítrio, deve-se discutir também a ideia de responsabilidade; particularmente a diferença entre responsabilidade e responsabilidade moral. Responsabilidade é quando alguém assume uma tarefa ou obrigação e aceita as consequências associadas a isso. Por exemplo, se você assume a responsabilidade de organizar uma conferência, então, não está assumindo apenas a tarefa de organizar o evento, mas está também assumindo a responsabilidade pelo resultado; seja um sucesso ou um fracasso. Isso é responsabilidade. Entretanto, a responsabilidade moral baseia-se nos códigos morais das pessoas. Vamos supor que no dia da conferência aconteça uma forte tempestade e nenhum dos porta-vozes consiga chegar ao local. Você é responsável pelo sucesso ou o fracasso da conferência, mas você será moralmente responsável pelo fracasso da conferência nesse caso?

Parece que os humanos, de fato, sentem-se responsáveis por suas ações; mas, nesse caso, por quê? Se as ações de uma pessoa são determinadas pelos eventos, isto é, as ações da pessoa são resultado de eventos e estão sendo planejadas desde antes de seu nascimento, então, os libertarianistas perguntariam por que os humanos se sentem responsáveis por suas ações. De maneira semelhante, se as ações de uma pessoa são totalmente aleatórias e determinadas pelo acaso, os deterministas ficariam imaginando por que elas se sentem responsáveis por suas ações. Somadas, essas questões fundamentam o argumento padrão contra o livre-arbítrio.

Mesmo assim, os humanos realmente se sentem responsáveis por suas ações. Portanto, se nos sentimos responsáveis por nossas ações, isso significa que essa responsabilidade é causada por algo interno a nós. Assim, um *pré-requisito da responsabilidade é o livre-arbítrio* e não o contrário. E, além disso, *um pré-requisito da responsabilidade moral é a responsabilidade* e não o contrário. Uma pessoa não precisa de responsabilidade moral para ter responsabilidade, mas, com certeza, uma pessoa precisa de responsabilidade para ter responsabilidade moral.

OS REQUISITOS DO LIVRE-ARBÍTRIO

Idealmente, os requisitos do livre-arbítrio deveriam satisfazer igualmente ao libertarianismo (possibilitando a existência do imprevisível para que ocorra a liberdade) e ao determinismo (possibilitando a existência da causalidade para que ocorra a responsabilidade moral). É aqui que vemos como a *liberdade* se encontra com o *arbítrio.*

O requisito da aleatoriedade

O requisito da aleatoriedade, ou liberdade, afirma que o indeterminismo é verdadeiro e que o acaso existe. As ações são consideradas imprevisíveis e não causadas por eventos externos; em vez disso, elas derivam de nós. Para que haja livre-arbítrio, devem existir também possibilidades alternativas e, depois que uma ação é desempenhada, a noção de que poderia ter sido feita de outra forma deve estar presente. Dessa forma, de acordo com o requisito da aleatoriedade, as pessoas criam novas cadeias causais e novas informações são produzidas.

O requisito do determinismo

O requisito do determinismo, ou do arbítrio, afirma que um determinismo adequado (aquele que possibilita a capacidade da previsibilidade estatística) tem de ser verdadeiro e que nossas ações não podem ser causadas diretamente pelo acaso. Além disso, o arbítrio de uma pessoa também tem de ser adequadamente determinado e suas ações devem ser determinadas tendo como causa o seu arbítrio individual.

O requisito da responsabilidade moral

É resultado da combinação dos requisitos da aleatoriedade e do determinismo e afirma que as pessoas são moralmente responsáveis por suas ações porque existem alternativas possíveis. Uma pessoa pode agir de diferentes maneiras — as ações derivam de nós e nossas ações têm como causa determinante o nosso arbítrio. A questão do livre-arbítrio afeta todos nós. Somos totalmente livres quando tomamos uma decisão? Quais são as implicações que surgem a partir de nossas decisões?

FILOSOFIA DO HUMOR

O lado sério do riso

Quando os filósofos olham para o humor, eles tentam explicar como funciona, como o riso dificulta ou melhora as relações humanas e o que torna algo risível. Tradicionalmente, muitos filósofos examinaram o humor, e Platão até se referiu ao riso como a emoção que interrompe o autocontrole racional. Para ele, o riso era malicioso, ele chegou a descrever com desprezo a alegria desfrutada em uma comédia. No estado ideal de Platão, o humor deveria ser mantido sob controle rigoroso; a classe dos Guardiões teria de evitar as risadas; e nenhum "escritor de comédias" teria permissão para fazer os cidadãos rirem.

As objeções de Platão ao humor e às risadas chegaram até os pensadores cristãos e, mais tarde, aos filósofos europeus. Na Bíblia, o riso é mencionado frequentemente como fonte de hostilidades e, nos monastérios, era condenado. Apesar da reforma das ideias na Idade Média, a visão sobre o humor continuou a mesma. Os puritanos desprezavam o humor e o riso e, quando passaram a governar a Inglaterra no século XVII, as comédias tornaram-se completamente ilegais.

TEORIAS SOBRE O HUMOR

Essas ideias sobre a comédia e o humor também são encontradas nos trabalhos dos filósofos ocidentais. *Leviatã*, de Thomas Hobbes, diz que os humanos são competitivos e individualistas e que, ao rir, expressamos superioridade com caretas. Da mesma forma, no tratado *As paixões da alma*, Descartes considera o riso uma expressão de ridículo e escárnio. A seguir, são apresentadas algumas escolas de pensamento sobre o humor:

A teoria da superioridade

Do trabalho de Hobbes e Descartes surgiu a teoria da superioridade. De acordo com essa noção, quando alguém ri expressa sentimentos de superioridade em relação aos outros ou a situações anteriores que envolvem a própria pessoa.

Essa teoria filosófica foi dominante até o século XVIII, quando o filósofo Francis Hutcheson criticou as ideias de Thomas Hobbes. Ele afirmou que o sentimento de superioridade não é uma explicação nem suficiente nem necessária para o riso e que existem situações em que alguém ri quando sentimentos de glória ou autocomparação simplesmente não estão presentes. Por exemplo, uma pessoa pode rir de uma figura de linguagem que lhe pareça estranha.

Em outras ocasiões de humor, podemos ver os pontos defendidos por Hutcheson. Quando assistimos a um filme de Charles Chaplin, rimos das situações incrivelmente inteligentes que ele representa. Rir daquelas situações não exige que alguém se compare a Chaplin e, mesmo que a pessoa se compare a ele, não ri porque acredita ser superior.

As pessoas têm a capacidade de rir de si mesmas sem rir do que já viveram antes, o que a teoria da superioridade não consegue explicar. Quando alguém procura pelos óculos e acaba descobrindo que estava com eles durante todo o tempo, essa é uma razão para rir. No entanto, esse tipo de riso não se encaixa no modelo estabelecido pela teoria da superioridade.

A teoria do alívio

Surgida no século XVIII, a teoria do alívio enfraquece a da superioridade, afirmando que o riso funciona no sistema nervoso como uma válvula de escape de pressão em um aquecedor a vapor.

A teoria do alívio surgiu pela primeira vez em 1709 em *An Essay on the Freedom and Wit of Humor* (em tradução livre, Ensaio sobre a liberdade e o humor inteligente), de lorde Shaftesbury, e essa foi notavelmente a primeira vez que o humor foi discutido com o sentido de engraçado.

Nessa época, os cientistas compreenderam que o cérebro tem nervos que se conectam aos músculos e aos órgãos dos sentidos. Contudo, eles também acreditavam que esses nervos carregavam líquidos e gases, como o sangue e o ar, aos quais se referiam como "espíritos animais". Em seu ensaio, Shaftesbury afirma que esses espíritos animais criavam pressão interna aos nervos e que o riso era o responsável pelo alívio desses espíritos animais.

Conforme a ciência avançou e o funcionamento do sistema nervoso tornou-se mais claro, a teoria do alívio adaptou-se. De acordo com o filósofo Herbert Spencer, na verdade, as emoções assumiam uma forma física internamente ao corpo e isso era chamado de energia nervosa. Spencer afirmava que a energia nervosa gerava o movimento muscular. Por exemplo, a energia nervosa da raiva criava pequenos movimentos (como cerrar os punhos) e, conforme a raiva aumentava, os movimentos musculares se ampliavam (como dar um soco). Assim, a energia nervosa aumentava e era, então, aliviada.

Segundo ele, o riso também aliviava a energia nervosa. Spencer, porém, identificava uma diferença essencial entre o alívio da energia nervosa causado pelo riso e pelas outras emoções: os movimentos musculares causados pelo riso não eram apenas o estágio inicial de ações maiores. Diferentemente das outras emoções, o riso não gira em torno de ter uma motivação para fazer algo. Os movimentos corporais associados ao riso são simplesmente um alívio da energia nervosa reprimida.

Spencer avança a ponto de afirmar que a energia nervosa que o riso libera é a das emoções inapropriadas. Por exemplo, se você começa a ler uma história que de início lhe dá raiva, mas depois termina em uma piada, a raiva inicial precisa ser reavaliada. Portanto, aquela energia nervosa, que não se aplica mais à situação, precisa ser aliviada na forma de riso.

Talvez a versão mais famosa da teoria do alívio seja a de Sigmund Freud. Ele identificou três diferentes situações em que o riso alivia a energia nervosa da atividade psicológica: "a piada", "o cômico" e o "humor". De acordo com Freud, na piada (contar histórias e agir de forma engraçada), a energia em excesso reprime os sentimentos; no cômico (por exemplo, rir de um palhaço), a energia em excesso é dedicada ao pensamento (grande quantidade de energia é requerida para entender os movimentos desajeitados do palhaço, enquanto pequena quantidade de energia é exigida para que façamos nossos próprios movimentos com suavidade, o que gera um excesso de energia); e o humor, no qual o alívio de energia é semelhante ao descrito por Herbert Spencer (uma emoção está pronta para ser vivenciada e, como nunca será utilizada, precisa que o riso a libere).

A teoria da incongruência

A segunda discordância à teoria da superioridade, que também surgiu no século XVIII, é a teoria da incongruência. Segundo essa noção, o riso é causado pela percepção de algo incongruente, ou seja, de algo que vai contra nossas expectativas e nossos padrões mentais. Essa é atualmente a explicação dominante para o humor; e tem sido apoiada por filósofos e psicólogos como Søren Kierkegaard, Immanuel Kant e Arthur Schopenhauer (de início, chegou a ser sugerida por Aristóteles).

James Beattie, o primeiro filósofo a usar o termo *incongruente* ao se referir à filosofia do humor, afirmou que o riso era provocado pela mente ao perceber duas ou mais circunstâncias *incongruentes* reunidas em uma composição complexa. Kant, que nunca utilizou o termo *incongruente*, examinou como as piadas brincavam com as expectativas das pessoas. Para ele, as piadas (por exemplo, as premissas da história seguida de uma conclusão) evocam, deslocam e, então, dissipam os pensamentos das pessoas. Kant observava que o fluxo de ideias criava um fluxo físico nos órgãos internos da pessoa e que isso, por sua vez, era um estímulo físico agradável.

Seguindo o trabalho de Kant, a versão de Schopenhauer para a teoria da incongruência afirmava que a fonte do humor era o conhecimento racional abstrato que tínhamos sobre algo e nossas percepções sensoriais em relação àquela coisa. Segundo ele, o humor era resultado de nossa percepção repentina da existência de incongruência entre o conceito de algo e a percepção de algo que deveria ser o mesmo.

Conforme a teoria da incongruência evoluiu ao longo do século XX, foi descoberta uma falha nas versões anteriores, que propunham que, quando se trata de humor, a percepção da incongruência é suficiente. Isso não pode ser verdade, pois, em vez de se divertir, teoricamente alguém poderia sentir raiva, aversão ou medo, por exemplo. Assim, a diversão pelo humor não é simplesmente uma resposta à incongruência; é prazerosa.

Energia nervosa?

Embora haja uma conexão entre o riso e os músculos, quase nenhum filósofo atual explica o humor como o alívio da energia nervosa reprimida.

Uma das mais recentes formas de teoria da incongruência, criada por Michael Clark, afirma que primeiro a pessoa percebe que algo está incongruente; então, ela gosta dessa percepção; e, em seguida, diverte-se simplesmente com a incongruência em si mesma (pelo menos, com algumas delas). Essa teoria funciona melhor para explicar o humor do que as do alívio e da superioridade, pois é válida para todos os tipos de humor.

ILUMINISMO

Um desafio à tradição

O Iluminismo refere-se a uma mudança radical no pensamento, ocorrida na Europa (particularmente na França, na Alemanha e na Inglaterra) na virada do século XVII para o século XVIII. Esse movimento revolucionou completamente o modo com que as pessoas viam a filosofia, a ciência, a política e a sociedade como um todo, mudando para sempre o rumo da filosofia ocidental. Os filósofos começaram a desafiar a tradição e o pensamento preestabelecido dos gregos antigos, o que abriu as portas para uma nova forma de questionamento filosófico — aquele com base no conhecimento humano e na razão.

ORIGENS DO ILUMINISMO: A REVOLUÇÃO CIENTÍFICA

O início do Iluminismo pode ser rastreado até 1500, quando a revolução científica começou na Europa. Entre os anos 500 e 1350, muito pouco mudou em relação à ciência. O sistema de crenças e a educação baseavam-se no trabalho dos gregos antigos e essas filosofias foram incorporadas à doutrina da Igreja Católica. Quando ocorreu o Renascimento, houve um interesse repentino e renovado pelo mundo natural. Conforme percebiam que suas descobertas não combinavam com a doutrina da Igreja (que, até aquele ponto, era tida como verdadeira), mais pessoas começaram a investigar o mundo ao redor delas, fazendo florescer as descobertas relativas ao mundo natural.

Esse ciclo de investigações e descobertas atingiu o auge durante os anos 1500 e 1600, que ficaram conhecidos como os séculos da revolução científica. Os avanços na ciência e na matemática alcançados por Nicolau Copérnico, Johannes Kepler, sir Isaac Newton e Galileu Galilei não apenas questionavam o trabalho de Aristóteles e a Igreja, mas fizeram as pessoas verem a natureza e a humanidade de uma maneira inteiramente diferente. A introdução do método científico, com base na observação e na experimentação, possibilitou aos cientistas explicar várias teorias com o uso da razão e da lógica, eliminando a tradição.

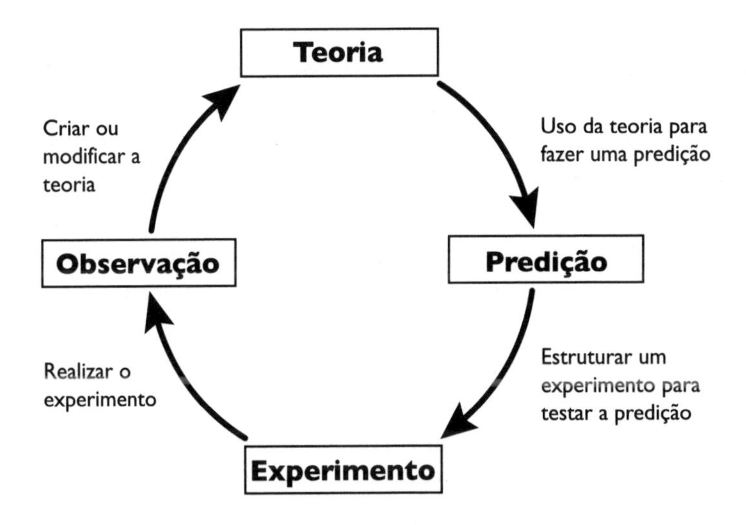

O ESTUDO DA VERDADE

Durante o Iluminismo, os filósofos buscaram descobrir a verdade sobre a natureza, o conhecimento e a humanidade e assumiram esse desafio percorrendo diferentes caminhos.

Ceticismo

O ceticismo desempenhou um papel-chave durante o Iluminismo em diversos avanços filosóficos, em virtude de a essência do movimento ser o questionamento das verdades estabelecidas. Os filósofos usaram o ceticismo como uma ferramenta para alavancar as novas ciências. Quando Descartes tentou criar um novo sistema de conhecimento em seu livro *Meditações sobre filosofia primeira*, ele lançou uma base sólida, usando o ceticismo para determinar quais princípios podiam ser reconhecidos como verdadeiros com certeza absoluta. Como a origem do Iluminismo está na crítica e na dúvida em relação às doutrinas, o ceticismo influenciou as filosofias dos pensadores daquele tempo.

Empirismo

Às vezes, o Iluminismo também é chamado de "Era da Razão" e o empirismo, a crença de que todo o conhecimento deriva das experiências, teve um papel importante na história desse movimento. Embora os filósofos da época não vissem a razão como sua própria fonte de conhecimento, eles exploraram as faculdades cognitivas do ser humano (as capacidades da mente humana) de novas maneiras.

Talvez o empirista mais influente surgido nesse período tenha sido John Locke, cuja teoria mais importante foi a de que a mente era *tábula rasa*, ou uma página em branco, no nascimento e que somente com a experiência a pessoa começava a formar conhecimento.

Outro grande empirista da época do Iluminismo foi sir Isaac Newton, que revolucionaria completamente a ciência e a matemática (incluindo a criação do cálculo diferencial e integral e a comprovação da existência da gravidade). A pesquisa de Newton começou com a observação dos fenômenos na natureza e, então, ele usou a indução para encontrar os princípios matemáticos que seriam capazes de descrever aqueles fenômenos. Conforme se tornava clara a diferença entre a abordagem "reversa" de Newton (que começava pela observação de um fenômeno na natureza e, então, aplicava o processo de indução para criar uma lei matemática ou princípio, o que conduzia a resultados concretos) e a abordagem de identificar primeiro os princípios (que com frequência era inconclusiva e nunca parecia atingir os resultados desejados), muitos filósofos iluministas tornaram-se favoráveis ao método newtoniano em seus esforços para adquirir conhecimento.

Racionalismo

Uma das mais significativas mudanças filosóficas ocorridas durante o Iluminismo foi a adoção do racionalismo (a noção de que obtemos conhecimento independente dos sentidos). O trabalho de René Descartes, que tentou encontrar verdades fundamentais assumindo que as proposições podiam ser falsas e duvidando dos sentidos, foi especialmente influente. Descartes não apenas questionou as ideias de Aristóteles; ele mudou radicalmente a visão sobre o conhecimento, abrindo caminho para novas formas de ciências.

Com a filosofia cartesiana (o termo usado para a perspectiva criada por René Descartes), surgiram diversas questões controversas na comunidade intelectual:

- O corpo e a mente são duas substâncias separadas e distintas uma da outra?
- Como as duas estão relacionadas (no que se refere ao corpo humano e ao mundo unificado)?
- Qual o papel de Deus na consolidação de nosso conhecimento?

Foi dos diversos questionamentos colocados pela filosofia cartesiana que surgiu Baruch Espinosa, um dos filósofos mais importantes do Iluminismo.

Espinosa enfrentou o dualismo cartesiano e desenvolveu a teoria monista ontológica (segundo a qual existe somente um tipo de substância, seja Deus ou a natureza, que possui dois atributos que correspondem à mente e ao corpo). Ao identificar Deus com a natureza e negar a existência de um ser supremo, ele lançou a fundação do naturalismo e do ateísmo, que podem ser observados nas filosofias do Iluminismo.

Além de Descartes e Espinosa, existem diversos outros filósofos importantes que concentraram seus trabalhos no racionalismo. Na Alemanha, um dos mais influentes foi Gottfried Wilhelm Leibniz, que enfatizou o princípio da razão suficiente — a ideia de que deve haver razão suficiente para a existência de tudo o que existe. O princípio da razão suficiente está entre os ideais fundamentais do Iluminismo, pois apresenta o universo como completamente inteligível com o uso da razão.

Com base no trabalho de Leibniz, Christian Wolff tentou responder como o princípio da razão suficiente poderia ser fundamentado com o uso da lógica e do princípio da não contradição (que propõe que uma afirmação nunca pode ser verdadeira e falsa exatamente ao mesmo tempo). Wolff fez isso criando um sistema racionalista de conhecimento com o objetivo de mostrar que os primeiros princípios, conhecidos como *a priori*, poderiam demonstrar as verdades da ciência. O que torna o trabalho de Wolff quinta-essencial para o movimento iluminista não foi sua tentativa de usar a razão para provar seu argumento; foi a tentativa de provar seu argumento usando a razão humana.

ESTÉTICA

Durante o Iluminismo, a moderna estética filosófica surgiu e floresceu. O filósofo alemão Alexander Baumgarten, que foi aluno de Christina Wolff, criou e deu nome à estética. De acordo com Baumgarten, a estética é a ciência da beleza. Ele equacionou sua ciência da beleza com a ciência do sensível — assim, a estética foi desenvolvida como a ciência da cognição sensível. O Iluminismo adotou a estética por diversos motivos: o movimento girava em torno da redescoberta dos sentidos e do valor do prazer e, conforme a arte e a crítica da arte floresciam, a noção de beleza tornou-se extremamente importante entre os filósofos. Eles acreditavam que o modo como compreendíamos a beleza revelava informações sobre a ordem racional da natureza.

Racionalismo alemão

Na Alemanha, durante o século XVIII, a estética estava grandemente baseada na metafísica racionalista de Christian Wolff, que propôs o princípio clássico de que a beleza é a verdade. Para ele, a beleza é a verdade interpretada como um sentimento de prazer. Wolff via a beleza como aquilo que é perfeito, e essa perfeição levava à harmonia e à ordem. Quando alguém julgava algo belo (pelo sentimento de prazer), a pessoa percebia determinado tipo de perfeição ou harmonia. Portanto, a cognição sensível da perfeição é a beleza. Ele afirmava que, embora a beleza pudesse estar relacionada às características objetivas das coisas que nos rodeiam, as opiniões sobre a beleza eram relativas e se baseavam na sensibilidade de cada pessoa.

Classicismo francês

A perspectiva francesa sobre a beleza durante o Iluminismo era bastante inspirada no modelo de Descartes do universo físico (deduzindo o conhecimento de um conhecimento prévio para estabelecer um princípio único). Como o racionalismo alemão, o classicismo francês baseava a estética no princípio clássico de que a beleza é a verdade, que é vista como a ordem racional objetiva. Os filósofos encaravam a arte como uma imitação da natureza em seu estado ideal e, no classicismo francês, a estética era modelada pela ciência da natureza. Como no modelo de Descartes, os filósofos franceses classicistas buscavam sistematizar a estética à procura de um princípio universal.

Subjetivismo e empirismo

Enquanto a base da estética estava sendo formada na França e na Alemanha, alguns dos mais importantes trabalhos sobre o tema durante o Iluminismo surgiram na Inglaterra e na Escócia. Com o empirismo e o subjetivismo, a compreensão estética deslocou-se para a perspectiva de quem vê a beleza e, então, a experiência e as respostas à beleza passaram a ser examinadas.

Um dos principais personagens dessa época, lorde Shaftesbury, concordava com o princípio clássico de que a beleza era a verdade. Contudo, ele não acreditava que essa verdade fosse uma ordem racional objetiva que qualquer pessoa tivesse a capacidade de conhecer. Para Shaftesbury, a resposta à estética era um prazer desinteressado e altruísta, isto é, independente do objetivo individual de como promover os próprios interesses (essa revelação abriria caminho para sua teoria da ética com base no mesmo conceito). Ele afirmava que a beleza era um tipo de harmonia livre da avaliação da mente humana e que nossa imediata compreensão da beleza era uma forma de participação dessa harmonia.

Shaftesbury, então, mudou o foco de seu trabalho para a natureza da resposta de uma pessoa à beleza e acreditava que essa resposta classificava moralmente cada indivíduo acima do interesse próprio. Ao deslocar o debate do que torna algo belo para o comportamento humano natural diante da beleza, ele vinculou a estética com a beleza, a moralidade e a ética e incentivou o interesse humano natural que se associou ao Iluminismo.

Com o progresso do Iluminismo, os filósofos mais tardios, como Immanuel Kant e David Hume, contribuíram imensamente com as noções do empirismo e da subjetividade, especialmente quanto ao papel da imaginação.

POLÍTICA, ÉTICA E RELIGIÃO

É possível que o Iluminismo seja mais significativo por suas conquistas políticas. Durante aquele período, ocorreram três diferentes revoluções: a revolução inglesa, a norte-americana e a francesa. Enquanto os filósofos iluministas começaram a direcionar o pensamento para a natureza humana e se tornaram críticos em relação às verdades estabelecidas pela Igreja e a monarquia, a atmosfera sociopolítica também passou a ser examinada.

Os simpatizantes das revoluções consideravam que a autoridade política e social estava fundamentada em tradições obscuras e em mitos religiosos e, assim, começaram a divulgar ideias de liberdade, igualdade, direitos humanos e a necessidade de um sistema político legítimo. Os filósofos não apenas criticavam o governo, mas também criavam teorias de como os governos *deveriam* ser. É a partir desse momento que as pessoas começam a adotar ideias como o direito à liberdade religiosa e a necessidade de um sistema político com limites e contrapartidas. Nessa época, os trabalhos de John Locke e Thomas Hobbes foram os mais influentes.

Conforme a perspectiva política e social começou a mudar, também as pessoas transformaram a própria visão a respeito de ética e religião. Com o crescimento da industrialização e da urbanização, assim como das guerras sangrentas em nome da religião, as pessoas (e, com certeza, os filósofos) começaram a questionar a motivação por trás da felicidade, da moralidade e da religião. Em vez de buscar a felicidade na união com Deus ou na determinação do que torna algo bom de acordo com a religião de cada um, os filósofos voltaram-se para a natureza humana e fizeram perguntas como: O que torna alguém feliz nesta vida?

Os filósofos iluministas voltaram-se para a religião com o objetivo de livrá-la da superstição, do sobrenatural e do fanatismo, defendendo um modelo mais racional. A raiva contra a Igreja Católica cresceu e o protestantismo começou a se tornar mais popular. Durante o Iluminismo, a religião começou a assumir quatro formas:

1. **Ateísmo**: a ideia, proposta por Denis Diderot, de que os humanos não deveriam buscar um ser sobrenatural para descobrir os princípios da ordem natural,

mas, em vez disso, procurá-los dentro de si mesmos em seus processos naturais. O ateísmo era mais comum na França durante o Iluminismo do que em qualquer outro lugar.

2. **Deísmo**: essa é a crença de que há um ser supremo que criou e governa o universo e que tinha um plano constante para a criação desde o princípio; porém, o ser supremo não interfere com as criaturas. O deísmo é mais comumente associado como a religião do Iluminismo. O deísmo rejeita a ideia dos milagres ou das revelações especiais e, em vez disso, argumenta que a luz natural é a prova real de que existe um ser supremo. Os deístas rejeitam a divindade de Jesus Cristo e, ao contrário, propõem que ele seja visto como um excelente professor de moral. Essa teoria também possibilitou descobertas nas ciências naturais, por acreditar que Deus criou a ordem.
3. **Religião do coração**: é a crença de que o Deus associado ao deísmo é também racional e distante das lutas constantes da humanidade (e, dessa forma, não serve ao propósito da religião que supostamente deveria servir). A religião do coração, adotada especialmente por Rousseau e Shaftesbury, apoia-se nos sentimentos humanos. Embora, às vezes seja considerada uma forma de deísmo, a religião do coração é uma religião "natural", notável pela ausência de "formas artificiais de adoração" e fundamento metafísico. Em seu lugar, a ênfase recai sobre as emoções humanas.
4. **Fideísmo**: um dos trabalhos mais importantes surgidos no Iluminismo foi o livro *Diálogos sobre a religião natural*, de David Hume (um ateísta). Publicado em 1779, após sua morte, a obra critica a suposição de que o mundo foi criado e é de autoria de um ser supremo porque o ser humano e a razão existem. O fideísmo afirma que o racionalismo crítico não consegue eliminar a crença religiosa porque ela é muito "natural". Essencialmente, de acordo com o fideísmo, um indivíduo não precisa de razões para sua crença religiosa; tudo de que precisa é sua fé. Algumas formas de fideísmo vão mais longe e afirmam que as crenças religiosas podem ser legítimas mesmo que se oponham ou entrem em conflito com a razão. Com essa rejeição ao pensamento tradicional e preestabelecido dos gregos antigos e com sua ênfase no conhecimento humano e na razão, o Iluminismo revolucionou completamente a maneira como as pessoas viam a filosofia, a ciência, a política e a sociedade como um todo e mudou para sempre os rumos da filosofia ocidental.

FRIEDRICH NIETZSCHE (1844-1900)

A afirmação da vida

Friedrich Nietzsche nasceu em 15 de outubro de 1844, na cidade de Röcken, na Alemanha, e quando tinha apenas 4 anos seu pai, um pastor luterano, morreu. Seis meses depois, morreu também seu irmão dois anos mais velho, deixando Nietzsche com a mãe e duas irmãs. Anos mais tarde, ele contaria que as mortes do pai e do irmão lhe causaram impacto profundo.

Dos 14 aos 19 anos, ele frequentou um dos melhores internatos da Alemanha. Seguiu com os estudos nas universidades de Bonn e Leipzig, inclinando-se para a filologia (disciplina acadêmica que gira em torno da interpretação de textos clássicos e bíblicos). Durante esse período, Nietzsche, que compunha música desde a adolescência, tornou-se amigo do compositor Richard Wagner (que já era um ídolo do rapaz) e a forte amizade surgida entre os dois homens teve um notável impacto ao longo de toda a sua vida (vinte anos depois, Nietzsche recordaria essa amizade como "a sua maior conquista"). Quando estava com 24 anos e não havia ainda nem completado o doutorado, ele recebeu a oferta de uma posição no corpo docente do departamento de filologia da Universidade de Basel.

Em 1870, depois de um breve intervalo no qual serviu como enfermeiro na guerra franco-prussiana (quando contraiu disenteria, sífilis e difteria), Nietzsche retornou à Universidade de Basel e, em 1872, publicou *O nascimento da tragédia*. O livro, embora elogiado por Wagner, foi recebido com críticas negativas, particularmente de Ulrich von Wilamowitz-Möllendorff, que viria a se tornar um dos principais filólogos alemães do seu tempo.

Em 1878, estava se tornando claro que Nietzsche estava mais interessado em filosofia do que em filologia e, no ano seguinte, ele deixou a Universidade de Basel. O livro *Humano, demasiado humano* marcou essa mudança em seu estilo filosófico (e o fim de sua amizade com Wagner, cuja adesão ao antissemitismo e ao nacionalismo alemão desgostou Nietzsche). Aos 34 anos, a saúde de Nietzsche estava tão deteriorada que ele teve de renunciar ao trabalho na universidade.

Entre 1878 e 1889, enquanto sua saúde piorava severamente, ele viajou por cidades na Alemanha, na Suíça e na Itália, escrevendo onze livros. Em 3 de janeiro de 1889, teve uma crise nervosa (possivelmente, como resultado da sífilis) ao ver um homem chicotear um cavalo. Nietzsche desmaiou na rua e nunca mais recuperou a sanidade. Passou os próximos onze anos de sua vida em estado vegetativo até a morte em 25 de agosto de 1900.

OS TEMAS FILOSÓFICOS DE FRIEDRICH NIETZSCHE

Durante seu período de insanidade, quem cuidou de Nietzsche foi sua meia-irmã Elisabeth Förster-Nietzsche. Ela era casada com um proeminente nacionalista alemão antissemita e, seletivamente, foi publicando os textos do irmão. Embora sem saber, Nietzsche chegou ao status de celebridade na Alemanha e passou a ser visto mais tarde como um ícone nazista, pois o que fora publicado era uma seleção equivocada de seus textos usados para promover a ideologia nazista. Foi somente após o término da Segunda Guerra Mundial que o mundo conheceu as verdadeiras crenças de Friedrich Nietzsche.

Niilismo

Talvez Nietzsche seja mais famoso por sua frase "Deus está morto". Durante o final do século XIX, com a ascensão do Estado alemão e os avanços da ciência, muitos filósofos alemães viam a vida diária com muito otimismo. Nietzsche, por sua vez, enxergava o oposto. Para ele, aqueles eram tempos problemáticos marcados fundamentalmente por uma crise de valores.

Em seu livro, *Assim falava Zaratustra*, Nietzsche conta a história de um homem que aos 30 anos experimenta viver fora da sociedade. Ele gosta tanto dessa experiência, que decide viver assim pelos próximos dez anos. Quando retorna à sociedade, ele declara que Deus está morto. Em *Assim falava Zaratustra*, Nietzsche argumenta que os avanços da ciência fizeram com que as pessoas desconsiderassem o conjunto de valores trazido pelo cristianismo e que não havia mais na civilização essa poderosa compreensão para determinar o que é bom ou mau.

Embora fosse verdadeiramente um crítico do cristianismo, Nietzsche era um crítico ainda mais forte do ateísmo e temia que esse fosse o próximo passo lógico. Ele não afirmava que a ciência apresenta um novo conjunto de valores para as pessoas substituírem pelos do cristianismo. Ao contrário, afirmava que o niilismo, o abandono de toda e qualquer crença, seria o que substituiria o código moral do cristianismo.

Nietzsche acreditava que as pessoas sempre teriam a necessidade de identificar uma fonte de valor e significado, e concluía que, se a ciência não era essa fonte, então, ela surgiria assumindo outras formas, como a de um nacionalismo agressivo. Ele não era favorável ao retorno às tradições do cristianismo, mas queria descobrir como fugir dessa forma de niilismo pela afirmação da vida.

A vontade de poder

A teoria de Nietzsche sobre a vontade de poder pode ser dividida em duas partes.

Primeira: ele acreditava que tudo no mundo está em fluxo e que um ser simplesmente fixo não existe. Matéria, conhecimento, verdade, e tudo mais estão sempre mudando, e a essência dessa mudança é algo chamado "vontade de poder". O universo, de acordo com Nietzsche, é feito de vontades.

Segunda: a vontade de poder é um impulso individual que se relaciona com a dominância e a independência. A vontade de poder é muito mais forte do que a vontade de sexo ou de sobreviver e pode surgir de maneiras diferentes. Embora a vontade de poder, segundo Nietzsche, possa surgir como violência ou dominância física, também pode ser modificada internamente, fazendo com que a pessoa busque o domínio de si mesmo (em oposição ao exercício de controle sobre o outro).

Ele acreditava que a noção de ego ou alma era simplesmente uma ficção gramatical. Para Nietzsche, "Eu" é, na verdade, uma mistura de vontades em competição, que tentam constante e caoticamente superar umas às outras. Como o mundo é um fluxo e a mudança é a parte mais fundamental da vida, qualquer tentativa de encará-la como fixa e objetiva, seja em relação à filosofia, à ciência ou à religião, é uma negação da própria vida.

Dessa forma, para viver com base em uma filosofia afirmativa da vida, a pessoa deve abraçar a mudança e compreender que essa é a única constante.

O papel do homem

De acordo com Nietzsche, existem os animais, os humanos e, então, o super-homem. Quando os humanos aprenderam a controlar seus instintos e seus impulsos naturais para obter grandes ganhos (como as civilizações, conhecimento e espiritualidade), eles deixaram de ser animais. Nossa vontade de poder deslocou-se do lado externo (controlar os outros) para o interno (autocontrole); no entanto, esse processo de autoconhecimento e controle é difícil e a humanidade enfrenta constantemente a tentação de desistir (segundo Nietzsche, dois exemplos da desistência humana são o niilismo e a moralidade cristã). Em sua tentativa de conquistar o autocontrole, os humanos estão a caminho de se tornar o super-homem, uma entidade que possui autocontrole (que falta nos animais) e boa consciência (que falta nos humanos). O super-homem tem profundo amor pela vida e aceita de boa vontade a luta constante e o sofrimento sem reclamar. Dessa forma, segundo Nietzsche, a humanidade não é um ponto de chegada; é uma transição para a transformação em super-homem.

Verdade

Nietzsche acreditava que a "verdade", a ideia de que só pode haver uma maneira correta de avaliar algo, é prova de que nosso processo mental tornou-se inflexível. Segundo ele, ser flexível e reconhecer que pode haver mais de uma maneira para avaliar uma questão são sinais de uma mente saudável. Portanto, ter uma mente inflexível é dizer "não" à vida.

Valores

Em *Além do bem e do mal,* Nietzsche expõe os fundamentos da psicologia da moralidade. Para ele, os humanos seriam uma espécie mais saudável se não tivessem moralidade. O filósofo igualava a moralidade à ficção e acreditava que os valores precisavam ser reavaliados porque não eram objetivos. Nietzsche era particularmente crítico da moralidade cristã, afirmando que, em um nível fundamental, a moralidade cristã era oposta à vida — até mesmo inimiga da vida. Por exemplo, a noção cristã de vida após a morte desvaloriza os instintos naturais dos indivíduos e faz com que esta vida não pareça ser importante — e, dessa maneira, promove a falta de resistência.

Ao expor a verdade sobre a moralidade, Nietzsche não pretendia substituir a moralidade cristã por outra forma, mas acreditava que, após perceber a verdade por trás da moralidade, as pessoas se tornariam mais honestas e realistas em relação a seus motivos e atitudes diante da vida.

O eterno retorno

Talvez a noção mais intrincada de Nietzsche seja sua teoria metafísica do eterno retorno. Embora complexa, a essência dessa teoria, como o restante de seu trabalho, gira em torno de uma afirmação da vida.

A ideia do eterno retorno existe há séculos. Uma ilustração clássica dessa noção usada no Renascimento era o Ouroboros, o dragão, ou serpente, que come a própria cauda.

Uma parte da teoria do eterno retorno de Nietzsche é a noção de que o tempo é cíclico, ou seja, as pessoas viverão cada momento de toda a vida infindáveis vezes e, a cada vez, será sempre o mesmo. Cada momento vivido, assim, ocorre por uma eternidade e nós devemos aceitar esse fato e sentir suprema alegria por isso.

A segunda parte da teoria do eterno retorno de Nietzsche é que o estado de "ser" não existe porque tudo está em constante mudança — ou seja, tudo está constantemente "se tornando". Para ele, a realidade é entrelaçada e nós não conseguimos distinguir as "coisas" das outras "coisas", pois tudo está em permanente estado de mudança. Dessa forma, uma pessoa não pode julgar uma parte da realidade sem julgar toda a realidade. Ao aceitar que nossa vida está em um constante estado de transformação, poderemos dizer "sim" ou "não" para tudo na vida. Considerado um dos primeiros filósofos existencialistas, Friedrich Nietzsche teve uma influência realmente notável. Acima de tudo, sua ênfase na afirmação da vida e seu desafio à moralidade e ao cristianismo fizeram dele um dos mais importantes filósofos de seu tempo.

PARADOXO SORITES

Pouco a pouco

O paradoxo sorites é outra famosa criação de Eubulides de Mileto. Esse paradoxo desafia a ideia de imprecisão. A palavra *sorites* vem do grego, *soros*, que significa "um monte". O paradoxo sorites afirma:

Imagine que você tenha um monte de areia. Embora um único grão de areia não faça um monte, muitos grãos, como 1 milhão de grãos, formam um monte de areia.

1. Se você remover um grão de areia de 1 milhão de grãos, então, ainda terá um monte de areia.
2. Se você remover outro grão, então, ainda terá um monte de areia.
3. Se você remover outro grão, então, ainda terá um monte de areia.

Por fim, você pode remover tantos grãos que aquilo não seja mais considerado um monte de areia, mas em que ponto isso acontece? Quinhentos grãos de areia ainda são considerados um monte, mas 499 não?

O paradoxo sorites também está em outro criado por Eubulides: o do homem careca. Esse paradoxo afirma o seguinte:

1. Se um homem tem um fio de cabelo na cabeça, então, ele é considerado careca.
2. Se um homem com um fio de cabelo na cabeça é considerado careca, então, um homem com dois fios na cabeça é considerado careca.
3. Se um homem com dois fios de cabelo na cabeça é considerado careca, então, um homem com três fios é considerado careca.

Dessa forma, um homem com 1 milhão de fios de cabelo na cabeça será considerado careca.

Mesmo que um homem com 1 milhão de fios de cabelo não seja careca, de acordo com a lógica, ele teria de ser considerado assim. Então, em que ponto um homem não é mais considerado careca?

Os filósofos Gottlob Frege e Bertrand Russell argumentavam que a linguagem ideal deveria ser precisa e que a linguagem natural tem um defeito, que é ser vaga. Para nos livrarmos da imprecisão, deveríamos eliminar os termos soríticos,[8] assim escapando do paradoxo de sorites.

---

8 Sorítico — referente a sorites. Quando as proposições de um argumento se encadeiam de forma que a conclusão da primeira se torna o sujeito da segunda, e assim por diante. (N.T.)

Mais tarde, o filósofo norte-americano Willard van Orman Quine considerou que a imprecisão poderia ser completamente eliminada da linguagem natural. Embora isso fosse afetar a maneira corriqueira como as pessoas falam, que Quine descrevia de "doce simplicidade", valeria a pena.

AS SOLUÇÕES PROPOSTAS

Em geral, existem quatro respostas usadas pelos filósofos para explicar o paradoxo de sorites:

1. Negar que a lógica é aplicável ao paradoxo de sorites.
2. Negar uma das premissas internas ao paradoxo de sorites.
3. Negar a validade do paradoxo de sorites.
4. Aceitar o paradoxo de sorites como consistente.

Vamos analisar cada uma das soluções propostas.

Negar que a lógica é aplicável ao paradoxo de sorites

Esta não parece a melhor solução. Parece que, para a lógica causar algum impacto, deve ser aplicada à linguagem natural e não somente a uma forma ideal de linguagem. Assim, não é possível evitar os termos soríticos e será preciso lidar com eles de outra forma.

Negar uma das premissas

Negar uma das premissas do paradoxo de sorites é a solução mais comum atualmente. Nessas soluções, a lógica pode ser aplicada à linguagem natural; no entanto, há questões relacionadas às premissas que fundamentam o paradoxo de sorites.

A teoria epistêmica

Nessa teoria, uma condicional é assumida como falsa e há um ponto de corte no paradoxo de sorites em que o predicado não se aplica mais (e, em vez disso, a negação se aplica). Vamos usar novamente o paradoxo do careca como exemplo:

1. Se um homem tem um fio de cabelo na cabeça, então, ele é considerado careca.
2. Se um homem com um fio de cabelo na cabeça é considerado careca, então, um homem com dois fios na cabeça é considerado careca.

3. Se um homem com dois fios de cabelo na cabeça é considerado careca, então, um homem com três fios é considerado careca.

Dessa forma, um homem com 1 milhão de fios de cabelo na cabeça será considerado careca.

Imagine agora que rejeitamos uma das premissas, com exceção da primeira. Por exemplo, vamos supor que o ponto de corte seja em 130 fios de cabelo. Isso significa que qualquer um com 129 fios de cabelo na cabeça seria considerado careca, enquanto qualquer um com 130 fios de cabelo na cabeça não seria.

Naturalmente, muitos consideram a teoria epistêmica questionável. Se uma das premissas é falsa, como alguém saberia qual delas é a falsa? Adicionalmente, como alguém descobriria essa informação? Se nós usamos a palavra *careca*, essa palavra tem sentido pela forma com que a utilizamos. Contudo, como podemos usar a palavra para determinar um padrão quando não sabemos o que é esse padrão?

A teoria da falta de valor-verdade

Outra teoria, a da falta de valor-verdade, afirma que não podemos saber o ponto de corte porque não há ponto específico para isso. A intuição nos diz que existe um grupo de pessoas para as quais dizer que são carecas é simplesmente verdadeiro. E existe um grupo de pessoas para as quais dizer que são carecas é simplesmente falso. No entanto, também existe um grupo de pessoas no meio. Para elas, chamá-las de carecas não é dizer algo verdadeiro ou falso. Para essas pessoas no meio-termo, a palavra *careca* é indefinida.

De acordo com a teoria da falta de valor-verdade, como as sentenças podem ser indefinidas em vez de verdadeiras, nem todas as premissas são verdadeiras. Entretanto, até mesmo essa teoria enfrenta problemas.

Se você olha para a seguinte frase: "Ou está chovendo ou não está chovendo", normalmente a consideraria uma verdade lógica. No entanto, pela teoria da falta de valor-verdade, se houver um caso limítrofe de chuva, as duas frases "está chovendo" e "não está chovendo" seriam indefinidas e, portanto, nenhuma seria verdadeira.

Supervalorativismo

O supervalorativismo tenta solucionar o problema do grupo do meio discutido na teoria da falta de valor-verdade. Olhando para o exemplo da calvície, existem casos de homens com pouco cabelo para os quais não seria verdade dizer que são carecas (conforme o que dita as regras de ser "careca"): porém, não seria falso, tampouco, dizer que eles são carecas. Assim, parece que fica sob nossa responsabilidade determinar esses casos.

No supervalorativismo, traçar a linha entre ser careca e não ser careca é chamado de "precisar" o termo careca. Enquanto sentenças simples no que se refere a cenários limítrofes possam ter falta de valor-verdade, os componentes dessas sentenças terão valor-verdade de fato e o supervalorativismo possibilitará que a lógica formal seja mantida (mesmo com a existência de falta de valor-verdade). Com essa ideia de "tornar mais preciso", o supervalorativismo afirma o seguinte:

- Uma sentença é verdadeira se e somente se for verdade no que diz respeito a todas as precisões do termo.
- Uma sentença é falsa se e somente for falsa no que diz respeito a todas as precisões do termo.
- Uma sentença é indefinida se e somente se for verdade no que se refere a algumas precisões do termo e falsa no que diz respeito a outras precisões.

Portanto, de acordo com o supervalorativismo, as premissas do paradoxo de sorites serão verdadeiras no que diz respeito a algumas precisões, falsas no que diz respeito a outras precisões e, dessa forma, algumas serão indefinidas. Isso possibilita que haja um raciocínio válido com uma conclusão falsa.

Mesmo assim, até mesmo o supervalorativismo tem seus problemas como teoria. O supervalorativismo afirma que "Ou está chovendo ou não está chovendo" é sempre verdadeiro mesmo se nenhum dos eventos for real. Se voltarmos à ideia da calvície, o supervalorativismo diria que a frase "Se você tem 130 fios de cabelo na cabeça, você não é careca, mas, se você tem um a menos, você é careca" é falsa, enquanto também afirmaria que a sentença "Existe um número de cabelos com o qual você não é careca e, se você tiver um a menos, você é careca" é verdadeira. Há uma clara contradição aqui.

Negar a validade do paradoxo de sorites

A terceira opção para tentar solucionar o paradoxo de sorites afirma que alguém pode aceitar todas as premissas, mas negar a conclusão. De acordo com essa opção, as sentenças não são consideradas absolutamente verdadeiras ou falsas, mas são verdadeiras até determinado grau. Dessa forma, cada afirmação deveria ser determinada pelo nível de verdade existente entre as suas próprias partes.

Aceitar o paradoxo de sorites como consistente

A última opção é aderir ao paradoxo de sorites e aceitá-lo como consistente. Nesse caso, então, as versões positivas e negativas também devem ser aceitas. Ninguém é careca e todo mundo é careca. Qualquer número de grãos formará um monte de areia e nenhum número formará um monte. Como não é esse o caso, porém, aderir ao paradoxo de sorites deve ficar mais restrito pela aceitação do raciocínio clássico e a negação de termos como *calvície* ou *montão* para que essas palavras se apliquem a nada.

LUDWIG WITTGENSTEIN (1889-1951)

O filósofo antissistemático

Ludwig Wittgenstein é considerado um dos mais importantes filósofos do século XX, e sua influência é particularmente significativa na filosofia analítica. Ele nasceu em 26 de abril de 1889, em Viena, na Áustria, em uma das famílias mais ricas do país. Em 1908, ingressou na Universidade de Manchester para estudar engenharia aeronáutica e logo se tornou extremamente interessado no trabalho de Gottlob Frege e em filosofia da matemática.

Entre 1911 e 1913, aconselhado por Frege, estudou em Cambridge sob a orientação de Bertrand Russell. Lá, Wittgenstein e Frege tiveram a oportunidade de estudar juntos a compreensão dos fundamentos da lógica. Periodicamente, viajava para a Noruega onde permanecia durante meses tentando resolver os problemas que haviam discutido. No início da Primeira Guerra Mundial, juntou-se ao exército austríaco. Em 1917, foi capturado e passou o resto da guerra como prisioneiro. Durante esse período, começou a escrever seu trabalho filosófico mais importante, o *Tractatus Logico-Philosophicus*, que foi publicado em alemão e inglês após a guerra. Essa fase passou a ser conhecida como a do "jovem Wittgenstein".

Em 1920, deixou de trabalhar em filosofia, considerando que o *Tractatus* havia solucionado todas as questões filosóficas. Deixou sua parte na herança da família com os irmãos e durante os nove anos seguintes tentou trabalhar em diferentes profissões em Viena. Em 1929, depois de falar aos integrantes do Círculo de Viena sobre filosofia da matemática e ciências, decidiu voltar a Cambridge para retomar os estudos. Sua volta à universidade marcou uma dramática mudança em sua filosofia, e todos os seminários, debates e correspondências dessa época são conhecidos como "a transição de Wittgenstein". Foi durante essa "fase intermediária" que ele rejeitou a filosofia dogmática (o que incluiu não apenas todos os trabalhos da filosofia tradicional, mas também as ideias que estabelecera em seu próprio livro).

Wittgenstein passou as décadas de 1930 e 1940 apresentando seminários em Cambridge. Durante esse período (referido como o do "Wittgenstein maduro"), desenvolveu seus trabalhos mais significativos, entre eles, a transição da lógica formal para a linguagem comum; o ceticismo diante das pretensões da filosofia e suas reflexões sobre matemática e psicologia. Embora tenha planejado colocar todas as suas ideias em um segundo livro intitulado *Investigações filosóficas*, em 1945, enquanto preparava o manuscrito final, ele retirou a obra da editora (mas autorizou sua publicação póstuma). Wittgenstein passou os anos seguintes viajando e aprofundando sua filosofia até sua morte em 1951.

O JOVEM WITTGENSTEIN

A filosofia do jovem Wittgenstein apresentada no *Tractatus* era fortemente inspirada nos trabalhos de Bertrand Russell e Gottlob Frege, mas se opunha à visão dos dois quanto a universalidade da lógica. Para Russell e Frege, a lógica era o conjunto de leis e o alicerce sobre o qual se erguia o conhecimento.

No *Tractatus Logico-Philosophicus*, Wittgenstein apresenta sete proposições:[9]

1. O mundo é tudo que ocorre.
2. O que ocorre, o fato, é o subsistir dos estados de coisas.
3. Pensamento é a figuração lógica dos fatos.
4. Pensamento é a proposição significativa.
5. A proposição é uma função de verdade das proposições elementares (A proposição elementar é uma função de verdade de si mesma).
6. A forma geral da função de verdade é $[\bar{p}, \xi, N(\xi)]$. Essa é a forma geral da proposição.
7. O que não se pode falar, deve-se calar.

Em essência, Wittgenstein argumentava que a lógica não tinha leis e não podia formar um conjunto de leis, pois era algo completamente diferente das ciências. O próprio pressuposto de que a lógica tem leis resulta de assumi-la como uma ciência, mas a lógica é algo muito diferente. A lógica é estritamente forma e não tem conteúdo. Embora por si mesma não diga nada, a lógica é o que determina a estrutura e a forma de tudo sobre o que se fala.

Wittgenstein, então, aborda o papel da linguagem. Segundo ele, a linguagem só é apropriada para descrever os fatos do mundo. Argumentava que a linguagem é inadequada para falar sobre coisas como valores, ideias que se relacionam com algo exterior ao mundo ou coisas que discutem o mundo em geral (afirmando, assim, que grande parte da filosofia, incluindo estética, ética e metafísica, não podia ser abordada pela linguagem).

Por exemplo, a perspectiva ética de uma pessoa é resultado de sua visão de mundo e do seu modo de viver. Portanto, como isso poderia ser colocado em

9 Conforme tradução citada no livro *Wittgenstein: linguagem e mundo*, de Mauro Lúcio Leitão Condé (São Paulo: AnnaBlume, 1998).

palavras e expresso como lei? Para Wittgenstein, a perspectiva ética de uma pessoa (assim como grande parte da filosofia) é algo que só pode ser mostrado e não declarado em palavras. Ele, então, redefiniu o propósito da filosofia, afirmando que ela não é uma doutrina e, dessa forma, não pode ser abordada de uma maneira dogmática. O filósofo, de acordo com Wittgenstein, deveria usar a análise lógica para mostrar em que os filósofos tradicionais se equivocaram (ele se refere a todas as proposições como disparates) e deveria corrigir aqueles que dizem coisas que são indizíveis. Ao se referir às proposições como disparates, Wittgenstein admitiu até que seu livro havia chegado perigosamente perto do absurdo.

O WITTGENSTEIN MADURO

Embora no *Tractatus* Wittgenstein propusesse que a filosofia não deveria ser abordada dogmaticamente, ele mesmo percebeu que seu livro era dogmático. Assim, seu trabalho da maturidade, e particularmente o livro *Investigações filosóficas*, são notáveis por sua completa rejeição ao dogmatismo. Ao fazer isso, ele se afastou da lógica e se voltou para o que acreditava que deveria ser a base de todo filósofo: a linguagem comum. Em seu livro, Wittgenstein detalha uma nova maneira de encarar a linguagem e afirma que o propósito da filosofia devia ser terapêutico.

Afirmava que o significado das palavras era determinado pelo modo como a pessoa usava cada termo e não por algum tipo de vínculo abstrato entre a realidade e a linguagem (uma mudança drástica em relação a sua perspectiva inicial). O significado das palavras não é fixo ou limitado. O significado de uma palavra pode ser vago ou fluido, e ainda assim ser útil.

Para dar suporte à afirmação de que as palavras não são fixas e têm inumeráveis usos, Wittgenstein apresentou o que chamou de "jogos de linguagem" e retornou várias vezes à ideia ao longo do livro *Investigações filosóficas*. Apesar de falar em *jogos de linguagem*, ele nunca definiu completamente o significado do termo, demonstrando, dessa forma, a fluidez e a diversificação da linguagem. Contudo, embora não haja uma definição rígida ou específica, não é difícil compreender o termo e usá-lo de modo correto. Assim, Wittgenstein provou que a linguagem comum está adequada do jeito que é atualmente. Para ele, a tentativa de cavar além da superfície da linguagem não leva a nada além de generalizações precárias.

Boa parte do livro *Investigações filosóficas* é dedicada à linguagem da psicologia. Quando usamos termos como *pensando, pretendendo, compreendendo* e *significando*, a tentação é de acreditar que essas palavras indicam nossos processos mentais. No entanto, ao examinar como esses termos são empregados,

Wittgenstein concluiu que as palavras não se referiam de forma nenhuma a estados mentais, mas se relacionavam aos comportamentos das pessoas.

Para ele, a linguagem e os costumes não eram fixos por leis, mas pelo uso da linguagem em contextos sociais (aos quais chamava de "formas de vida"). Assim, os indivíduos aprendem a usar a linguagem, em sua essência, em contextos sociais e é por isso que somos capazes de entender uns aos outros. É pela mesma razão que uma pessoa não consegue criar a própria linguagem para descrever suas sensações interiores (nesse caso, não haveria como saber se uma palavra estava sendo usada corretamente e, desse modo, a linguagem não teria significado).

Wittgenstein discute a interpretação como a diferença entre "ver" e "ver como". Observe o exemplo da figura pato-coelho tornada famosa por ele.

"Ver" é quando algo é visto de maneira objetiva e direta (por exemplo, nós vemos que é um pato) e "ver como" é quando começamos a notar aspectos particulares (por exemplo, ver a imagem como se fosse um coelho). Ao ver algo *como* algo, estamos na verdade interpretando. Nós não interpretamos as coisas que vemos exceto quando admitimos que há mais de uma interpretação possível.

Embora o trabalho do jovem e do maduro Wittgenstein sustente uma posição antiteórica sobre o que a filosofia deveria, ou não, ser, ele mudou dramaticamente do uso da lógica para provar a impossibilidade das teorias filosóficas para o encorajamento da natureza terapêutica da filosofia.

ESTÉTICA

Beleza e percepção

A estética começou no século XVIII e atualmente é formada por dois ramos principais: a filosofia da beleza e a filosofia da percepção. Embora a filosofia da arte seja, de fato, uma parte da estética, essa teoria aborda temas muito mais amplos. A estética não se concentra apenas no valor e na natureza da arte; também envolve nossas reações aos objetos naturais que se tornam expressões da linguagem — assim, os objetos são considerados belos ou feios. Esses termos, porém, são inacreditavelmente vagos, o que leva a esta pergunta: Como e por que alguém considera algo belo ou feio?

PALADAR

Durante o século XVIII, o conceito de percepção surgiu como uma resposta à ascensão do pensamento racionalista. No lugar da perspectiva racionalista que afirmava que nós julgamos a beleza usando os princípios e os conceitos da razão, as teorias da percepção surgiram com os filósofos ingleses, que eram majoritariamente empiricistas.

Tese do imediatismo

Essas teorias afirmavam que os julgamentos de beleza eram imediatos e diretos, semelhantes aos julgamentos sensoriais e não eram — pelo menos, a maioria não era — resultantes de outros princípios. Pela tese do imediatismo, nós não usamos a razão para concluir que algo é belo, mas experimentamos a percepção de que algo é belo.

Enquanto os racionalistas rejeitavam essa teoria declarando que existe grande diferença entre considerar uma refeição excelente e considerar uma peça de teatro excelente, os imediatistas consideravam uma peça de teatro muito mais complexa, o que envolvia mais trabalho cognitivo e incluía a aplicação de diversos conceitos e princípios. Assim, determinar a beleza de algo como uma peça de teatro não é imediato e não pode ser considerado uma questão de percepção. A teoria da beleza é imediatista, ao contrário das ideias iniciais em que se firma o pensamento racionalista. Então, quando se trata de julgar se uma peça de teatro é bela, isso simplesmente não pode ser uma questão de percepção porque a ação requer muitos processos cognitivos e não é imediata. De acordo com Hume, a percepção é diferente dos cinco sentidos externos. Em vez disso, essa percepção é um sentido interior, o que significa que depende de operações existentes para que a beleza seja percebida.

Desinteresse

Enquanto a teoria da percepção se desenvolvia, uma ideia popular entre os filósofos era a do egoísmo, ou seja, uma pessoa sente prazer em uma ação ou característica para servir aos próprios interesses. No entanto, aqueles que acreditavam na teoria da percepção argumentavam que o prazer resultante da beleza era, na verdade, desinteressado, isto é, não servia ao próprio interesse. As pessoas seriam capazes de julgar se algo é belo, ou não, sem pensar em seus interesses. Naquela época, os filósofos consideravam que a determinação da virtude era bem semelhante a isso. Kant, porém, questionou essa noção de que a virtude e a percepção são desinteressadas. Na visão dele, que é a atual, enquanto a percepção da beleza é desinteressada, o prazer derivado da determinação de que uma ação é moralmente boa tem de ser interessado porque esse julgamento representa o desejo de agir daquela maneira.

A ESTÉTICA

A tese do imediatismo e a noção de desinteresse em relação à beleza podem ser aplicadas ao "formalismo artístico", isto é, à ideia de que são formais as propriedades que tornam algo arte e determinam se é bom ou ruim (o que significa que essas propriedades só podem ser entendidas pela audição e pela visão).

A experiência estética pode ser descrita como o estudo específico de estados mentais como atitudes, emoções e respostas. Em 1757, o filósofo Edmund Burke publicou seu famoso tratado *On the Sublime and Beautiful* (em tradução livre, Sobre o sublime e o belo). Essa obra é um dos mais significativos trabalhos escritos em estética e apresenta dois termos muito importantes (entre muitos outros) para descrever a experiência estética: *sublime* e *belo*.

Definições filosóficas

SUBLIME: julgar algo *sublime* deriva dos sentimentos de uma pessoa em relação à natureza e indica um ser frágil e sozinho neste mundo, pois a natureza não nos pertence e resiste a nossas demandas. **BELO:** julgar algo *belo* deriva dos sentimentos sociais de uma pessoa (particularmente, sentimentos românticos) e indica que a pessoa tem a esperança de ser confortada pelo amor e pelo desejo.

A FILOSOFIA DA ARTE

A filosofia da arte desempenha um papel-chave na estética. Existem diversas questões internas à filosofia das artes, entre elas, o que é arte, o que pode ser julgado e o que é o valor da arte.

O que é arte?

Como a arte pode ser definida é uma questão persistente na filosofia da arte e isso quer dizer que ela está sempre em evidência. Desde a época de Platão até por volta do século XVIII, um componente central da definição de arte estava no papel da representação. No entanto, conforme o romantismo começou a se disseminar nos séculos XVIII e XIX, a arte deslocou-se da representação para a expressão. Com a aproximação do século XX, houve ainda outro deslocamento para a apreciação da forma e da abstração. Nas décadas finais do século XX, até mesmo a abstração foi abandonada e os filósofos da arte argumentaram que a arte não deveria ter uma definição muito rígida. Essa ideia, conhecida como a "(des)definição" de arte, foi criada pelo filósofo Morris Weitz, que fundamentou seu trabalho no de Wittgenstein.

Julgamento da arte

Quando você assiste a *Hamlet*, está julgando o manuscrito de Shakespeare? Está julgando o desempenho dos atores? Você avalia cada parte da produção até os figurinos? Coisas diferentes são julgadas por um conjunto diferente de padrões? Questões desse tipo surgem para todas as artes — música, pintura, desenho, entre outras.

Valor

Existem duas formas de dar valor à arte: intrínseca e extrinsecamente. Aqueles que acreditam que a arte tem valor extrínseco apreciam-na como forma de expressar um bem moral reconhecido e de educar as emoções. Aqueles que acreditam que a arte tem valor intrínseco consideram-na valiosa por si e em si mesma. De acordo com Leon Tolstoi, que adotou a abordagem extrínseca, o valor da arte compartilhava o valor da empatia. Outros, como Oscar Wilde, que assumiram a abordagem intrínseca, acreditavam na "arte pela arte".

FILOSOFIA DA CULTURA

A transmissão da informação

Quando discutem "cultura", os filósofos tratam da maneira pela qual a informação é transmitida entre os humanos com métodos que não são genéticos ou epigenéticos (isto é, fatores externos que afetam a genética). Essa ideia inclui os sistemas simbólicos e comportamentais que as pessoas usam para se comunicar umas com as outras.

A IDEIA DE CULTURA

O termo *cultura* nem sempre teve o significado que conhecemos hoje. Embora a palavra exista, pelo menos, desde os dias de Cícero (106-43 a.C.), *cultura* era originalmente utilizada quando se discutia a filosofia da educação e se referia ao processo de aprendizado de uma pessoa. Assim, a definição de cultura que conhecemos hoje é um conceito muito mais recente.

Filosofia da educação

A filosofia da educação é uma tentativa de compreender quais são as ferramentas adequadas para que as pessoas compartilhem uma parte de sua cultura com as outras. Quando as crianças nascem, são iletradas e sem conhecimento; é com a sociedade e com a cultura que elas aprendem a se tornar parte dessa mesma sociedade e cultura. Assim, a educação continua a ser um dos elementos mais importantes dos processos culturais.

EXEMPLOS DE INFLUÊNCIA CULTURAL

A cultura possibilita que as pessoas conheçam e acreditem em diferentes coisas e tenham percepções diferentes. Isso levanta a questão: a cultura constrói os fatos normativos ou funciona como uma proteção contra as normas universais? Existem muitos exemplos de cultura com influência sobre nós.

Linguagem

A linguagem é cultural (e pode variar de cultura para cultura) e, dessa forma, seus efeitos sobre o pensamento podem ser considerados efeitos culturais.

Percepção e pensamento

A linguagem (que é afetada pela cultura) tem grande influência sobre nossos processos de pensamento e, assim, também afeta nossas percepções. As culturas podem se apoiar no individualismo (como aquelas fundadas na América do Norte, na Europa ocidental e nos países de língua inglesa da Australásia) ou no coletivismo (como aquelas fundadas no Oriente Médio, no sul e no leste da Ásia, na América do Sul e no Mediterrâneo).

Definições filosóficas

COLETIVISMO: os indivíduos veem a si mesmos como parte de um coletivo, e as motivações derivam primariamente das obrigações com a coletividade. **INDIVIDUALISMO:** os indivíduos são motivados pelas próprias necessidades e preferências e não veem a si mesmos como parte de uma coletividade.

Emoções

As emoções não são fundamentais somente para a cultura; são fundamentais para os seres mamíferos (os cães, por exemplo, podem expressar alegria, tristeza e medo). As emoções, portanto, são respostas evoluídas que ajudam os indivíduos a sobreviver e devem integrar a natureza humana. A cultura pode influenciar como as diferentes emoções podem ser encaradas e, por vezes, a mesma ação pode suscitar duas emoções completamente diferentes, dependendo da cultura. A cultura também influencia como as emoções são expressas.

Moralidade

A moralidade é claramente modelada pela cultura e a perspectiva moral derivada da cultura de uma pessoa pode ser completamente diferente daquela de um indivíduo de outra cultura. Isso leva à ideia de relativismo cultural.

RELATIVISMO CULTURAL

Os sistemas ético e moral são diferentes para cada cultura. De acordo com o relativismo cultural, todos esses sistemas são igualmente válidos e nenhum é melhor do que outro. A base do relativismo cultural é a noção de que, na verdade, não existem padrões para o bem e o mal. Desse modo, o julgamento de que algo é certo ou errado tem por base as crenças de uma sociedade, pois todas as opiniões éticas e morais são influenciadas pela perspectiva cultural de um indivíduo.

No entanto, existe uma contradição inerente ao relativismo cultural. Se alguém assume a ideia de que não há certo ou errado, então, em primeiro lugar, não há como fazer julgamentos. Para lidar com essa contradição, o relativismo cultural criou a "tolerância". No entanto, com a tolerância chega também a intolerância, e isso significa que a tolerância tem de implicar também um tipo de bem definitivo. Dessa forma, a tolerância vai contra a noção essencial do relativismo cultural e os limites da lógica tornam o relativismo cultural impossível.

EPISTEMOLOGIA

O estudo do conhecimento

A palavra epistemologia vem do grego: *episteme*, que significa "conhecimento"; e *logos*, que quer dizer "o estudo de". Portanto, quando falamos sobre epistemologia, estamos discutindo o estudo do conhecimento. Os filósofos que se dedicam a esse campo olham para duas principais categorias: a natureza do conhecimento e a extensão do conhecimento.

A NATUREZA DO CONHECIMENTO

Ao buscar determinar a natureza do conhecimento, os filósofos querem entender o significado de dizer que você conhece ou não conhece algo. Para isso, é preciso antes compreender o que é o conhecimento e, então, conseguir distinguir entre conhecer algo e não conhecer algo.

A EXTENSÃO DO CONHECIMENTO

Para determinar a extensão do conhecimento, os filósofos tentam entender quanto podemos conhecer e como o conhecimento é adquirido (pelas nossas percepções, pela razão e pela influência dos outros). A epistemologia também discute se nosso conhecimento tem, ou não, um limite e se existem coisas que são simplesmente incompreensíveis. É possível que não saibamos tanto quanto acreditamos que sabemos?

TIPOS DE CONHECIMENTO

Embora a palavra *conhecer* possa ser usada em muitos sentidos de linguagem, quando os filósofos descrevem o conhecimento, eles afirmam que ele é factivo, ou seja, alguém só pode conhecer se isso for fato real. Com isso em mente, para os filósofos, existem diferentes tipos de conhecimento.

Conhecimento processual

Algumas vezes, denominado de "know-how" ou competência, o conhecimento processual é aquele que a pessoa adquire por desempenhar algum tipo de atividade ou processo (por exemplo, aprender andar de bicicleta).

Conhecimento familiar

O conhecimento familiar, também chamado de familiaridade, é aquele obtido pela experiência com algo. A informação é um dado somente sensorial porque outro objeto nunca poderá ser realmente conhecido por uma pessoa.

Conhecimento proposicional

O conhecimento proposicional é aquele ao qual os epistemologistas tendem a dar mais foco do que o processual e a familiaridade. As proposições são afirmações declarativas usadas para descrever o estado de situações ou de fatos (embora a proposição possa ser verdadeira ou falsa). Por exemplo: "as baleias são animais mamíferos" e "5 + 5 = 13" são proposições, embora a segunda esteja errada. O conhecimento proposicional também é chamado de "o conhecimento que", no qual as afirmações são descritas com o uso de "condições-que". Por exemplo: "Ele sabe *que* a loja de roupas fica no shopping" ou "Ele não sabe *que* Albany é a capital de Nova York".

O conhecimento proposicional envolve muitos assuntos diferentes, incluindo o conhecimento matemático, geográfico, científico, entre outros. Dessa forma, toda verdade pode ser conhecida (embora haja verdades que são simplesmente incompreensíveis). Um dos propósitos da epistemologia é compreender os princípios do conhecimento para determinar o que pode e o que não pode ser conhecido (isso é parte da metaepistemologia, que tenta entender o que podemos saber pertencente ao conhecimento). O conhecimento proposicional também pode ser dividido em *a priori* (conhecimento anterior a qualquer experiência) e *a posteriori* (conhecimento após uma experiência).

O QUE SIGNIFICA CONHECER ALGO

Ao discutir o conhecimento proposicional, os filósofos começaram a se fazer muitas perguntas: o que significa, de fato, conhecer algo; que diferença existe entre saber algo e não saber algo; e que diferença existe entre uma pessoa que sabe algo e outra que não sabe o mesmo algo? Como o conhecimento tem um espectro muito amplo, os epistemologistas buscam uma compreensão universal do conhecimento e que possa ser aplicada a todas as proposições. Existem três requisitos que são consenso: crença, verdade e justificação. Embora essas noções já tenham sido abordadas quando discutimos o problema de Gettier, agora olharemos para elas mais detalhadamente.

Como no problema Gettier, tem de haver uma quarta condição, mas os detalhes do que essa condição implica ainda estão sendo debatidos.

Proposições

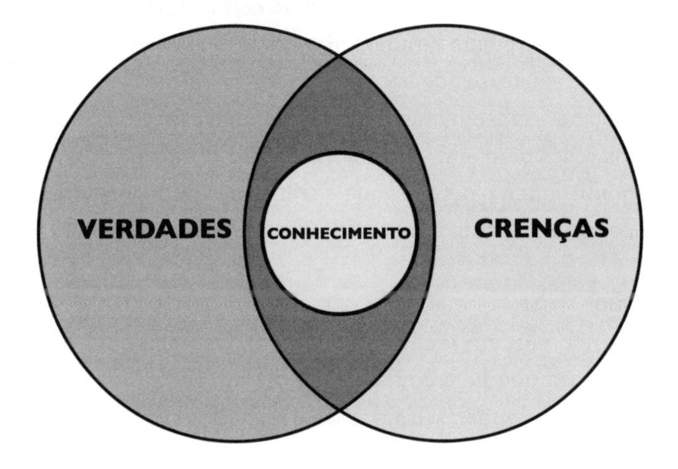

Crença

O conhecimento existe apenas na mente e, dessa forma, é um estado mental. Além disso, o conhecimento é um tipo de crença: se um indivíduo não tem crenças a respeito de certa coisa, então, não pode haver conhecimento sobre essa coisa. Quando uma crença é ativamente cultivada por alguém, então, é chamada de crença corrente. A maioria das crenças dos indivíduos, no entanto, não é corrente, isto é, fica de pano de fundo e não é ativa. De maneira similar, a maior parte do conhecimento de um indivíduo não é corrente, o que significa que na mente de uma pessoa apenas uma pequena porção do conhecimento é ativa.

Verdade

Nem todas as crenças são conhecimento. Embora a crença seja necessária para que o conhecimento exista, esse não é o único requisito; é preciso haver algo que possibilite que o pensamento de uma pessoa corresponda ao mundo real. Quando os pensamentos não correspondem ao mundo real, então, não podem ser considerados conhecimento. Por exemplo, ninguém pode saber que uma ponte é segura antes de cruzá-la com segurança pela primeira vez. Se você acredita que a ponte é segura e, quando começa a cruzá-la, ela desmorona, então, não pode dizer que *sabia* que era segura. Alguém pode acreditar que a ponte é segura e, então, somente após cruzá-la com segurança, poderá dizer que *sabe* que a ponte é segura. No processo de aquisição de conhecimento, as pessoas buscam ampliar a quantidade de crenças verdadeiras com que contam (e diminuir a quantidade de falsas crenças no processo).

Assim, para uma crença ser considerada conhecimento, ela tem de ser verdade. A verdade, portanto, é uma condição do conhecimento — se a verdade não existir, então, o conhecimento também não existe. Mesmo nas situações em que a verdade realmente existe, se não houver verdade intrínseca em um domínio específico, então, não há conhecimento naquele domínio específico. Por exemplo, se a beleza está nos olhos de quem vê, então, determinar se algo é belo não pode ser considerado conhecimento porque aquela crença não pode ser verdadeira ou falsa. Dessa forma, o conhecimento não requer apenas a crença, mas a crença factual.

Justificação

Mesmo quando alguém tem crença factual, isso não quer dizer que tenha conhecimento. Para que haja conhecimento, tem de existir justificações para aquelas crenças verdadeiras. Isso significa que, para adquirir conhecimento, uma crença verdadeira deve ter raciocínio consistente e evidência sólida para apoiar suas reivindicações. Dúvida, raciocínio falho e informação errônea, portanto, não podem ser considerados conhecimento (mesmo se os resultados forem o da crença verdadeira).

Embora a justificação seja importante, ela não implica que a absoluta certeza seja necessária para que exista conhecimento de algo. Os humanos, afinal, são falíveis, o que nos leva à noção de falibilidade.

Definições filosóficas

FALIBILIDADE: é a ideia filosófica de que nenhuma crença pode ser sempre verdadeiramente apoiada e justificada. Isso não quer dizer que algo como o conhecimento não exista, mas a ideia afirma que, mesmo que um indivíduo tenha uma falsa crença, ainda é possível que ele tenha conhecimento.

Como evidenciado pelo problema de Gettier, a ideia do conhecimento torna-se problemática. Nós entramos em novos problemas quando discutimos a noção de justificação. Ao refletir sobre como a justificação é construída, os filósofos discutem duas abordagens: internalismo e externalismo.

Internalismo

Pela abordagem internalista, como as crenças e a formação das crenças são processos mentais, a justificação depende inteiramente de fatores internos. De acordo com essa teoria, os outros estados mentais de um indivíduo são os únicos fatores envolvidos na determinação da justificação de uma crença.

Externalismo

Alguns argumentam que, se o indivíduo se concentrar somente nos fatores internos, as crenças serão justificadas erroneamente e o acaso ocorrerá. O externalismo propõe que devem existir, pelo menos, alguns fatores externos para ajudar a determinar se uma crença é justificada, ou não. A forma mais popular de externalismo, o confiabilismo, afirma que a fonte das crenças deveria ser considerada. A fonte pode vir de uma variedade de coisas, como testemunhos, razão, sentido da experiência ou memória. De acordo com o confiabilismo, uma crença pode ser justificada quando vem de uma fonte confiável.

A TERRA GÊMEA

Tirando o significado da cabeça

Imagine o seguinte cenário:

Existe um planeta imaginário, conhecido como Terra Gêmea, que é absolutamente idêntico ao planeta Terra nos mínimos detalhes — até mesmo os habitantes dos dois planetas são iguais. Há, porém, uma diferença entre a Terra e a Terra Gêmea: em todo lugar em que há água na Terra, existe uma substância conhecida na Terra Gêmea como XYZ. Para o propósito desta história, estamos na Terra por volta de 1750, antes da descoberta do H_2O (a fórmula química que representa a água). Naquele planeta imaginário, em vez da água das chuvas, dos lagos e dos oceanos, existe a substância XYZ. Além disso, XYZ tem propriedades observáveis semelhantes às da água, mas com uma microestrutura diferente. Os habitantes da Terra Gêmea (que se referem ao próprio planeta como Terra) são idênticos aos da Terra, também falam "português" e chamam a substância XYZ de "água".

Agora, quando Oscar, um habitante da Terra e seu gêmeo, que mora na Terra Gêmea (também chamado Oscar), dizem a palavra *água*, eles estão dizendo a mesma coisa?

De acordo com o filósofo (e criador do experimento mental da Terra Gêmea) Hilary Putnam, Oscar e seu gêmeo Oscar não estão significando a mesma coisa porque, enquanto Oscar se refere a H_2O, seu gêmeo se refere a XYZ. A partir disso, ele conclui que os processos mentais do cérebro podem não ser suficientes para determinar a que um termo se refere. Segundo ele, uma pessoa tem de entender a história causal que conduz ao significado de uma palavra para aprendê-la.

O experimento mental de Putnam, da Terra Gêmea, é um dos exemplos mais populares da sua teoria no campo da filosofia da linguagem, conhecida como "externalismo semântico".

EXTERNALISMO SEMÂNTICO

Hilary Putnam busca compreender como a sintaxe, o arranjo das palavras na frase, ganha significado (semântico). De acordo com o externalismo semântico proposto por ele, o significado de uma palavra é determinado (seja parcial ou inteiramente) por fatores que são externos ao indivíduo falante. Enquanto outras teorias acreditam que o processo de significação é interno (dentro da cabeça), o externalismo semântico de Putnam propõe que isso ocorre fora da mente. Em outras palavras, como ele mesmo diz em sua frase já famosa: "Os 'significados' não estão na cabeça!".

Segundo Putnam, o significado de qualquer termo em uma linguagem é dado por uma sequência de elementos:

1. O objeto a que o termo se refere (no caso da Terra Gêmea, isso é a substância com a fórmula química H_2O).
2. Os termos típicos (conhecidos como "estereótipos") que costumam ser frequentemente associados à palavra (como *inodora, incolor* e *hidratante* sempre associados à *água*).
3. Os indicadores semânticos que categorizam o objeto (como *líquido*).
4. Os indicadores sintáticos (por exemplo, um nome de massa — um tipo de substantivo que tem termos que são referidos que não podem ser considerados entidades separadas).

Com base em suas ideias de externalismo semântico, Putnam buscou explicar sua teoria causal da referência. Ele afirma que as palavras conquistam seus referentes como resultado de uma cadeia de causação que termina no referente. Por exemplo, uma pessoa mantém a capacidade de se referir às pirâmides do Egito, mesmo que nunca as tenha visto, porque o conceito do que são as pirâmides do Egito ainda existe. Como pode ser? É porque o termo foi adquirido (aprendido) como resultado da interação com os outros (que, para adquirir esse conhecimento, interagiram com outros, que para adquirir esse conhecimento interagiram com outros etc.). Esse padrão prossegue até que, por fim, alcança uma pessoa que tenha tido uma experiência em primeira mão com o tema em questão. Por causa dessa cadeia de causação, uma pessoa é capaz de falar sobre algo sem nunca ter vivenciado diretamente aquilo.

CONTEÚDO MENTAL RESTRITO

O experimento mental da Terra Gêmea proposto por Putnam é parte de um tópico maior de discussão conhecido como "conteúdo amplo", que se opõe à perspectiva do "conteúdo mental restrito". A ideia por trás do conteúdo mental restrito é de que o conteúdo mental é interno (ou intrínseco) e, dessa forma, diferente do externalismo semântico de Putnam, é totalmente independente do ambiente em que a pessoa está; então, é uma propriedade intrínseca daquela coisa particular (por exemplo, uma propriedade intrínseca de uma moeda é que ela é redonda, embora uma moeda no bolso de uma pessoa seja uma propriedade extrínseca). O conteúdo restrito que alguém acredita haver em um objeto tem de ser compartilhado por toda duplicata daquele objeto particular.

Aqueles que consideram válido o conteúdo mental restrito afirmam que o conteúdo mental e o comportamento são o resultado de uma consequência causal de nossas crenças e nossos desejos. Outros propõem que as pessoas têm acesso introspectivo a seus pensamentos, ou seja, nós devemos ter a habilidade de determinar se o mesmo conteúdo está contido em dois de nossos pensamentos. De acordo com essa proposta, os dois Oscar, ignorantes da fórmula química de H_2O e de XYZ, não têm como saber se seus pensamentos são relacionados a H_2O ou a XYZ, porque não estão conscientes nem de que existe outra substância semelhante à água. Para dar sentido a isso, os filósofos criaram a noção de "transição suave". O que aconteceria se Oscar da Terra mudasse para a Terra Gêmea? De início, ele continuará a ter pensamentos relacionados à água quando vir aquela substância, mas, quanto mais interagir com XYZ e quanto mais ficar longe da água, vai começar a pensar em XYZ e não em H_2O. Ao longo do tempo, seus pensamentos relacionados à água terão um conteúdo amplo diferente (e Oscar não teria consciência dessa mudança porque seus pensamentos pareceriam ter o mesmo conteúdo que sempre tiveram). Para ter acesso introspectivo e verificar que esses conteúdos são diferentes, nós precisamos do conteúdo mental restrito e não do amplo.

O conteúdo mental restrito é controverso entre os filósofos; muitos rejeitam esse conceito em favor do conteúdo mental amplo. O experimento da Terra Gêmea, de Putnam, é o exemplo mais famoso de por que o conteúdo mental amplo faz mais sentido. Os dois Oscar têm exatamente as mesmas propriedades intrínsecas; no entanto, eles se referem a substâncias diferentes. Assim, as propriedades intrínsecas não são o bastante para determinar a que se referem. E isso nos traz de volta à famosa frase de Putnam: "Os 'significados' não estão na cabeça!".

ARTHUR SCHOPENHAUER (1788-1860)

O filósofo pessimista

Arthur Schopenhauer nasceu em 22 de fevereiro de 1788, em Danzig (atualmente, Gdansk), na Polônia. Quando era garoto, seu pai, um comerciante, fez uma proposta ao filho, que tinha inclinações acadêmicas: ele poderia se preparar para ingressar na universidade ou viajar pela Europa com os pais e, então, ao regressar, iniciar o aprendizado para se tornar comerciante. O garoto escolheu viajar com a família e, ao longo dessa jornada, testemunhou diretamente o sofrimento terrível dos pobres no continente. Essa experiência influenciaria fortemente a visão de mundo pessimista que ele teria mais tarde como filósofo.

Ao voltar de sua viagem pela Europa, Schopenhauer começou a se preparar para a carreira de comerciante, cumprindo sua parte no acordo com o pai. Quando estava com 17 anos, porém, seu pai morreu (no que se acredita tenha sido um suicídio) e, dois anos mais tarde, o rapaz deixou o aprendizado no comércio para seguir a carreira acadêmica.

Enquanto frequentava a escola, sua mãe, que havia se mudado para Weimar, engajou-se nos círculos sociais e intelectuais. Como trabalhava como escritora e anfitriã em um salão frequentado por muitos pensadores influentes da época, ela apresentou o filho a Johann Wolfgang von Goethe (em quem baseou sua teoria das cores) e Friedrich Majer (que acendeu em Schopenhauer o interesse pelo pensamento oriental). O relacionamento entre mãe e filho tornou-se tão tenso que, quando estava com 30 anos, ela lhe pediu que nunca mais lhe dirigisse a palavra.

Em 1809, agora cursando a Universidade de Göttingen, ele estudou medicina até o terceiro semestre, quando decidiu trocar por filosofia. Por fim, transferiu-se para a Universidade de Berlim para continuar seus estudos filosóficos. Em 1813, em virtude da investida da Grande Armada de Napoleão, Schopenhauer refugiou-se na pequena cidade de Rudolstadt, onde escreveu *Sobre a raiz quádrupla do princípio da razão suficiente*, uma investigação sobre a ideia de razão suficiente. No ano seguinte, mudou-se para Dresden, onde escreveu sua famosa teoria das cores, *Sobre a visão e as cores*, e uma visão geral sobre seu sistema filosófico, *O mundo como vontade e como representação.*

Em 1820, Schopenhauer se tornou palestrante na Universidade de Berlim. Como era extremamente competitivo com seu colega palestrante Wilhelm Hegel, marcava suas apresentações no mesmo dia e horário que ele para fazer a plateia escolher entre os dois. Contudo, enquanto as palestras de Hegel ficavam sempre lotadas de estudantes, as de Schopenhauer contavam com bem poucos. Assim, ele foi se decepcionando e se tornando cínico em relação ao mundo acadêmico. Foi somente nos últimos anos da vida que seu trabalho ganhou visibilidade e se tornou famoso em toda a Europa.

AS FILOSOFIAS DE SCHOPENHAUER

Embora o trabalho filosófico de Schopenhauer aborde ampla variedade de assuntos, de modo geral, há sempre o tema do pessimismo e a presença da dor inerente à condição humana.

Sobre a raiz quádrupla do princípio da razão suficiente

Nessa dissertação publicada em 1813, Schopenhauer analisa a suposição dos filósofos de que o universo é compreensível e critica o princípio da razão suficiente, que afirma que as coisas são reais e racionais. Declara que, para usar o princípio da razão suficiente, uma pessoa tem de ser capaz de pensar em algo que, então, precisaria ser explicado, ou seja, tem de haver a presença de um sujeito que inicie o processo. Portanto, a mente perceptiva é o único fator que torna a experiência possível. Ele conclui que, assim, o mundo é apenas representação.

Filosofia da "Vontade"

Talvez o trabalho filosófico mais significativo de Schopenhauer seja sobre motivação individual. Ele criticou o otimismo nos trabalhos de Hegel e Kant, que afirmavam que a sociedade e a razão determinam a moralidade de uma pessoa. Em vez disso, propunha que os indivíduos são motivados pelos próprios desejos ou "vontade de viver", que nunca estará satisfeita. Segundo ele, a vontade de viver é o que guia a humanidade. É aqui que percebemos o comprometimento de Schopenhauer com o pessimismo e sua visão negativa da humanidade, que persistem ao longo de todo o corpo da obra. A "Vontade", de acordo com ele, é a causa de todo o sofrimento da espécie humana, e o sofrimento é o resultado de estarmos constantemente desejando mais.

Schopenhauer concluiu que o desejo humano (e, dessa forma, a ação humana) não tem direção ou lógica e é fútil. Ele afirmava que o mundo não era apenas um lugar terrível (com coisas como a crueldade, doenças e os sofrimentos todos); era o pior dos mundos possíveis e, se pudesse ser ainda um pouco pior, deixaria de existir.

Estética

De acordo com Schopenhauer, a estética separa o intelecto da Vontade e não está vinculada ao corpo. Para ele, a arte era um ato predeterminado na mente do artista antes que ele criasse algo ou um ato espontâneo, enquanto o corpo não passava de uma extensão da Vontade.

Se a Vontade que guia os humanos está baseada no desejo, a arte, por sua vez, possibilita que o indivíduo escape temporariamente das dores do mundo porque a contemplação estética faz com que ele pare de perceber o mundo somente como representação. A arte, dessa maneira, vai além da razão suficiente. Para ele, a música era a forma mais pura de arte porque tinha a habilidade de incorporar a Vontade.

Ética

Em sua teoria moral Schopenhauer identificou três incentivos primários que direcionam a moralidade das pessoas: o egoísmo, a malícia e a compaixão.

- **Egoísmo:** é responsável por guiar as ações humanas pelo interesse próprio e fazer com que as pessoas desejem prazer e felicidade. Schopenhauer acreditava que a maioria das ações humanas derivava do egoísmo.
- **Malícia:** o filósofo distinguia entre ações de egoísmo e ações de malícia, que eram independentes de ganhos pessoais, mas tinham a intenção de prejudicar os outros.
- **Compaixão:** segundo Schopenhauer, é a única coisa genuína que direciona as ações morais; quando se busca apenas o bem e não se age pelo senso de obrigação ou pelo benefício pessoal.

Ele também via o amor como um elemento inconsciente que ajudava a "vontade de viver", uma força que fazia com que o desejo humano se reproduzisse e continuasse a existir.

Filosofia oriental

Schopenhauer é notável também por ser o primeiro filósofo a incorporar a filosofia oriental ao seu trabalho, sendo particularmente interessado na filosofia hindu e budista. Sua perspectiva pessimista é incrivelmente influenciada pelas Quatro Nobres Verdades encontradas no budismo e, de fato, ele as utilizou para construir o alicerce de sua teoria pessimista.

AS QUATRO NOBRES VERDADES	OS ACRÉSCIMOS DE SCHOPENHAUER
1. A vida significa sofrimento	O mundo é Representação
2. A raiz do sofrimento é o desejo	a. A causa do sofrimento é a vontade b. O mundo como Vontade
3. Há esperança	Há pouca esperança
4. A esperança está no Nobre Caminho Óctuplo[10]	A esperança está: a. Na contemplação estética b. Na prática da estética

Schopenhauer declara que o mundo é *Vorstellung*, que significa "representação". Além de a vida estar repleta de sofrimento, o mundo não é inteiramente real, mas apenas uma representação da realidade (bem semelhante à caverna de Platão). *Der Wille* quer dizer a "Vontade", que fica abaixo da aparência superficial de tudo.

Ele também se inspirou nos textos sagrados do hinduísmo, os Upanixades, para formular a ideia central de sua filosofia: o mundo é a expressão da Vontade.

10 No budismo, para cessar o sofrimento, é preciso seguir o Nobre Caminho Óctuplo, vivendo de acordo com oito práticas: entendimento correto; pensamento correto; linguagem correta; ação correta; modo de vida correto; esforço correto; atenção plena correta e concentração correta. (N.T.)

KARL MARX (1818-1883)

O pai do comunismo

Karl Marx nasceu em 5 de maio de 1818, na Prússia. O pai dele era um advogado bem-sucedido, envolvido no movimento de reforma prussiana e apreciava os trabalhos de Voltaire e Kant. Embora o pai e a mãe de Marx fossem descendentes de judeus, o pai converteu-se ao luteranismo por causa de uma lei de 1815, que impedia os judeus de terem todos os direitos de cidadania.

Karl Marx ingressou na Universidade de Bonn em 1835, antes de se transferir para a Universidade de Berlim a pedido do pai (que a considerava mais séria). Lá, começou a estudar direito, mas depois mudou para filosofia, quando iniciou a leitura do trabalho de Hegel. Logo, integrou-se a um grupo de estudantes radicais, conhecido como Juventude Hegeliana, que criticava as normas políticas e religiosas da época.

Em 1841, Marx conquistou o doutorado pela Universidade de Jena, onde escreveu sua dissertação sobre filosofia natural na Grécia antiga. Ele foi recusado para uma posição de professor por causa de suas posições ideológicas radicais. Então, começou a trabalhar como jornalista e, em 1842, tornou-se editor no jornal liberal *Rheinische Zeitung*. Apenas um ano depois, porém, o governo fechou o jornal. Marx casou-se e se mudou para Paris, onde, em 1844, colaboraria com Friedrich Engels na redação de uma crítica a Bruno Bauer (um antigo colega na Juventude Hegeliana). Logo foi expulso do país por estar escrevendo de novo em um jornal radical (essa publicação tinha laços fortes com uma organização que, por fim, viria a se tornar a Liga Comunista) e, então, mudou-se para Bruxelas.

Na Bélgica, Marx rompeu com a ideologia da Juventude Hegeliana depois de ter sido apresentado às ideias do socialismo. Enquanto morou em Bruxelas, desenvolveu sua teoria do materialismo histórico que seria apresentada no livro *A ideologia alemã* e escreveu o *Teses sobre Feuerbach* (que não foi publicado até a sua morte porque não conseguia encontrar uma editora para o livro).

Em 1846, em uma tentativa para se conectar com os socialistas distribuídos pela Europa, Marx criou o Comitê de Correspondência Comunista. As ideias disseminadas por ele inspiraram os socialistas ingleses a formar a Liga Comunista e, em 1847, por solicitação do Comitê Central, que estava reunido em Londres, Marx e Engels escreveram o *Manifest der Kommunistischen Partei* (comumente chamado de *Manifesto comunista*). O documento foi publicado em 1848 e, como resultado, Marx foi expulso da Bélgica no ano seguinte. Depois de ser deportado da França e ver recusado seu pedido de renaturalização na Prússia, seguiu para Londres, onde participou do desenvolvimento da Sociedade Educacional dos Trabalhadores Alemães e criou a nova sede da Liga Comunista. Em 1867, publicou o primeiro volume de seu tratado econômico, *O capital*, que é considerada a sua maior obra. Marx passou o restante da vida trabalhando nos manuscritos dos próximos dois volumes; morreu, porém, antes de completá-los e os livros foram publicados postumamente.

OS TEMAS FILOSÓFICOS DE KARL MARX

O cânone do trabalho de Marx está focado no papel do indivíduo como trabalhador e em sua conexão com a troca de bens e serviços.

Materialismo histórico

Marx foi fortemente influenciado pelo trabalho filosófico de Hegel; em especial, pela convicção hegeliana de que a consciência humana evoluiu do simples esforço para entender os objetos até a autoconsciência e outros processos mentais mais elevados, complexos e abstratos. Hegel afirma que a história também tem uma visão dialética semelhante; as contradições de um período específico levam a um novo tempo em que se busca amenizar as contradições anteriores.

Embora concordasse com essa perspectiva sobre a história, Hegel era um idealista, enquanto Marx se considerava um materialista. Portanto, enquanto Hegel acreditava que as ideias são a forma primária de as pessoas se relacionarem com os circunstantes e que a história pode ser entendida com base nas ideias representativas de um período de tempo, Marx considerava que a forma de organização social durante um período de tempo era a verdade fundamental sobre essa sociedade. Marx via a história como um padrão evolutivo de uma série de sistemas econômicos que conduzia à criação de diferentes sociedades e que trazia à tona ressentimentos entre as classes.

Alienação do trabalho

Marx argumentava que o componente-chave do sentido individual de bem-estar e autoconsciência é o trabalho. Quando uma pessoa trabalha na transformação objetiva da matéria em algo para seu sustento e que tem valor, ela vê a expressão de si mesma exteriorizada como se tivesse atendido aos requisitos da existência. Marx afirmava que o trabalho não é apenas um ato de criação pessoal; é a demonstração da identidade e da sobrevivência de alguém.

Ele afirmava, porém, que no capitalismo, por ser um sistema assentado na propriedade privada, o trabalhador perde o sentido de valor e a identidade, que são essenciais para ele. O trabalhador, agora distante do produto, torna-se alienado de seu trabalho, de si mesmo e de seus colegas. Não existe mais um sentido de satisfação pessoal e o trabalho passa a ser visto simplesmente como uma maneira de sobreviver. Como o trabalhador é distanciado do processo e já que o trabalho é um componente de sua identidade, ele é distanciado de si mesmo e da humanidade como um todo. A constante alienação promovida pelo capitalismo cria, então, o relacionamento antagonista discutido no materialismo histórico e levará, por fim, à destruição do sistema.

Teoria do valor-trabalho

Marx afirma que o significado do termo *mercadoria* é "um objeto exterior que atende a necessidades ou desejos". Ele também distingue entre valor de uso (a capacidade de atender a essas necessidades ou desejos) e valor de troca (o valor — mensurado em dinheiro — em relação a outras mercadorias). Todas as mercadorias são produto do trabalho e, de acordo com Karl Marx, o valor de uma mercadoria não deveria ser determinado por algo como oferta e demanda, mas se basear na quantidade de trabalho exigido para criá-la. Dessa forma, o valor de uma mercadoria seria representativo do trabalho necessário em sua produção.

Teoria do valor-trabalho

A teoria do valor-trabalho de Marx é significativa porque é a raiz de sua teoria da exploração, que afirma que o lucro é o resultado da exploração dos trabalhadores pelos empregadores.

Para que uma pessoa satisfaça às suas necessidades e aos seus desejos com compra de mercadorias, deve, antes, produzir e vender algo feito por ela mesma, e essas transações só podem ocorrer com o uso do dinheiro. Marx argumentava que a motivação dos capitalistas não era direcionada pelo desejo de mercadorias, mas pelo desejo de dinheiro. A ideia deles é levar vantagem: os capitalistas criaram salários e horas de trabalho para obter o melhor resultado com o menor custo e, então, vender por mais do que pagaram e não pelo valor de troca da mercadoria. Criando o que Marx chamou de "mais-valia", os capitalistas exploram os trabalhadores.

Modo de produção e relações de produção

De acordo com Marx, a organização econômica da produção é chamada de "modo de produção", que inclui os "meios de produção", que são usados pela sociedade para criar bens (por exemplo, matérias-primas, fábricas, máquinas e até o trabalho). Ele então descreve as "relações de produção" como as relações entre aqueles que não possuem os meios de produção (como os trabalhadores) e aqueles que os possuem (como os burgueses ou capitalistas). Marx afirmava que a evolução histórica é o resultado do modo de produção interagindo com as relações de produção. Conforme o modo de produção continua buscando a capacidade produtiva total, a hostilidade entre as classes envolvidas nessas relações de produção começa a se formar (em outras palavras, a situação se torna proprietários *versus* trabalhadores).

O modo de produção conhecido como capitalismo, segundo Marx, está firmado no fato de que os meios de produção são propriedade privada. O capitalismo fundamenta-se na ideia de tirar o máximo do trabalho pelo menor custo e os trabalhadores recebem apenas o suficiente para se manter vivos e continuar a produzir. Afirmava que os trabalhadores entenderiam a exploração e a natureza antagônica do capitalismo e, por fim, isso levaria à derrubada do sistema pela classe trabalhadora. Para substituir o capitalismo, o novo modelo de produção ia se basear em meios de produção com propriedade coletiva; e isso é o comunismo.

O conceito marxista de sociedade

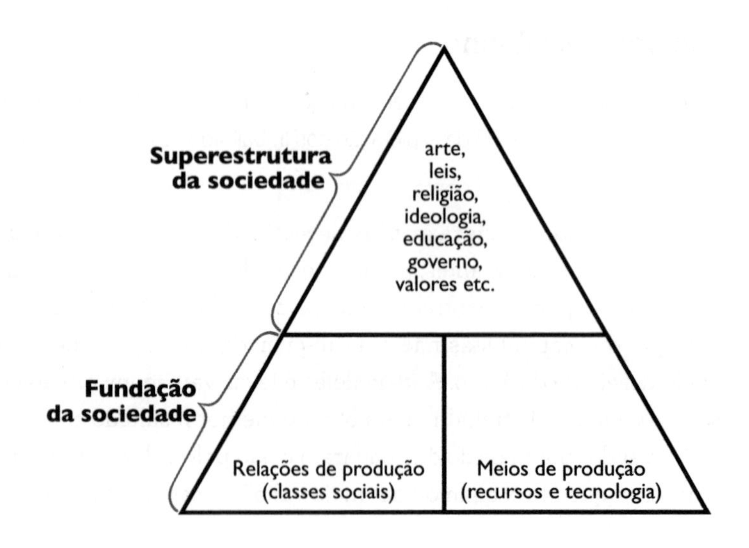

Fetiche da mercadoria

Marx acreditava que, conforme as pessoas buscavam compreender o mundo, elas se tornavam fixadas em coisas como o dinheiro (como consegui-lo, quem tem, como gastar etc.) e em mercadorias (os custos para comprar ou fazer um produto, a demanda pelo produto etc.). Isso era visto por ele como "fetiche" — a fixação das pessoas nessas coisas as impedia de compreender a verdade. São os fetiches que impedem de entender a verdade sobre a exploração da classe trabalhadora. Assim, no capitalismo, o preço de mercado de um produto na vida diária não só depende da exploração; ele também mascara a exploração dos trabalhadores. Dessa forma, Marx afirmava, a existência do fetiche das mercadorias permite que o modo de produção capitalista continue a existir sem ter de enfrentar a exploração que causa.

MARTIN HEIDEGGER (1889-1976)

Ser e tempo

Martin Heidegger nasceu em 26 de setembro de 1889, em Messkirch, uma cidade rural profundamente conservadora e religiosa na Alemanha. Esse ambiente e a educação que propiciou causaram forte impacto na carreira filosófica de Heidegger. Em 1909, ele começou a estudar teologia na Universidade de Friburgo, mas em 1911 já havia mudado o foco para a filosofia.

Embora notavelmente influenciado por muitos filósofos, *A metafísica* e, em particular, o desejo de Aristóteles de compreender o que unia os diferentes modos de ser tiveram um efeito profundo sobre Heidegger. Em 1919, ele foi assistente de Edmund Husserl e mais tarde ocupou seu lugar na universidade quando ele se aposentou. A influência aristotélica e o trabalho de Husserl levaram Heidegger a escrever seu trabalho mais famoso: *Ser e tempo*.

Publicado em 1927, *Ser e tempo* foi elogiado por ser um dos textos mais significativos e notáveis da filosofia moderna. O livro ainda é considerado um dos mais importantes trabalhos do século XX e é visto como um estímulo a muitos dos grandes pensadores filosóficos atuais.

Depois da publicação de *Ser e tempo*, houve uma mudança notável na filosofia de Heidegger que se referia a esse fato como "a reviravolta". Para ele, aquela não tinha sido uma reviravolta em seu pensamento, mas uma mudança do Ser. Ele descreveu os elementos de sua reviravolta no que é considerado seu segundo trabalho mais importante, *Contributions to Philosophy* (Contribuições à filosofia, em tradução livre), que não foi publicado em alemão até 1989, embora tenha sido escrito em 1936.

Heidegger tornou-se integrante do Partido Nazista em 1933 e foi eleito reitor da Universidade de Friburgo. Os testemunhos sobre esse período variam: alguns afirmam que ele aplicou entusiasticamente as políticas nazistas na universidade, enquanto outros declaram que ele adotou as políticas mantendo a resistência interna contra alguns detalhes como o antissemitismo. Ainda assim, ele não se manteve como reitor por muito tempo, renunciando ao posto em 1934. A partir desse mesmo ano, começou a se distanciar do Partido Nazista, mas nunca deixou oficialmente a organização. Quando a Segunda Guerra Mundial acabou, o comitê de desnazificação da Universidade de Friburgo investigou Heidegger e o proibiu de lecionar. O impedimento durou até 1949, quando se tornou professor emérito no ano seguinte.

SER E TEMPO

Ser e tempo é um dos trabalhos filosóficos mais significativos e complexos e catapultou Heidegger para a posição de um dos mais importantes pensadores do século XX.

Ele examinou a questão do que significa ser "o ser". Começou pelo trabalho de Descartes, que afirmava que o *ser* é dividido em três diferentes tipos de substâncias:

1. Entidades que não necessitam de outras entidades.
2. *Res cogitans* (substâncias imateriais).
3. *Res extensa* (substâncias materiais).

De acordo com Heidegger, essa ideia do Ser leva a uma "diferença indefinida" porque há a suposição de que o Ser pode existir nessas três possibilidades e isso simplesmente não faz sentido. Em segundo lugar, conclui que a crença de Descartes sobre o Ser está incorreta, pois simplesmente considera o mundo feito de *res extensa* e que ser o Ser significa apenas "ter conhecimento de outro objeto".

Heidegger, por sua vez, acreditava que a melhor forma de entender o Ser é olhar internamente e se interrogar a respeito do próprio eu. Dessa forma, ele conclui, o Ser somos nós. Ele chamava a isso de *Dasein*, ou seja, o "Ser-aí". Para Heidegger, ser o Ser é perguntar a si mesmo o que é ser o Ser. Portanto, *Dasein* é um Ser que se autointerpreta, alguém que diz "Eu" e que tem sentido de "possessividade". A autointerpretação, assim, é a existência.

Heidegger, então, esclarece que existem três modos do Ser:

1. *Dasein*.
2. Presença disponível (coisas cuja existência se verifica pelo olhar, pela observação e que se relacionam somente com conceitos e fatos puros).
3. Prontidão disponível (o Ser possuído por coisas como instrumentos, que não são só utilizáveis, mas que só podem ser manipulados pelo Ser).

Em *Dasein*, o modo normal de existência não é autêntico nem inautêntico porque é uma média do cotidiano — é como se a vida vivesse a pessoa e não a pessoa vivesse a vida.

Na opinião de Heidegger, as concepções do sujeito estão incorretas porque o sujeito é convertido em objeto. Ao contrário, o sujeito deveria ser visto como um "ser-no-mundo". Em vez de o ambiente estar repleto de objetos; está preenchido com coisas chamadas *Zeug*, isto é, utensílios, que são utilizados para realizar projetos. *Zeug* só tem sentido e é significativo se é o que é dentro do projeto específico em que aparece, ou se é o que é quando comparado a outras coisas que fazem parte do(s) projeto(s). Dessa forma, o Ser particular do *Zeug* é a prontidão disponível. O Ser de uma coisa é dado a ela, enquanto coisa, pelo contexto de um projeto de *Dasein* e o contexto de outras coisas envolvidas naquele projeto. Em outras palavras, as coisas já são o que são por causa do seu lugar em referência a outras coisas.

Dasein não pode gerar sentido, no entanto, pois não é uma entidade unitária que está completamente autopresente. A individualidade do *Dasein* cria uma perspectiva única, mas falha, porque é sempre em relação a outras coisas e sempre em um mundo habitado por outras coisas. O instrumento (como a linguagem, os projetos e as palavras) não é para uma pessoa apenas, então, dessa maneira, o *Dasein* é o que Heidegger chama de o "Eles".

Heidegger conclui que o Ser do *Dasein* é o tempo. Embora, como mortal, o *Dasein* vá do nascimento à morte, seu acesso ao mundo é pela tradição e a história.

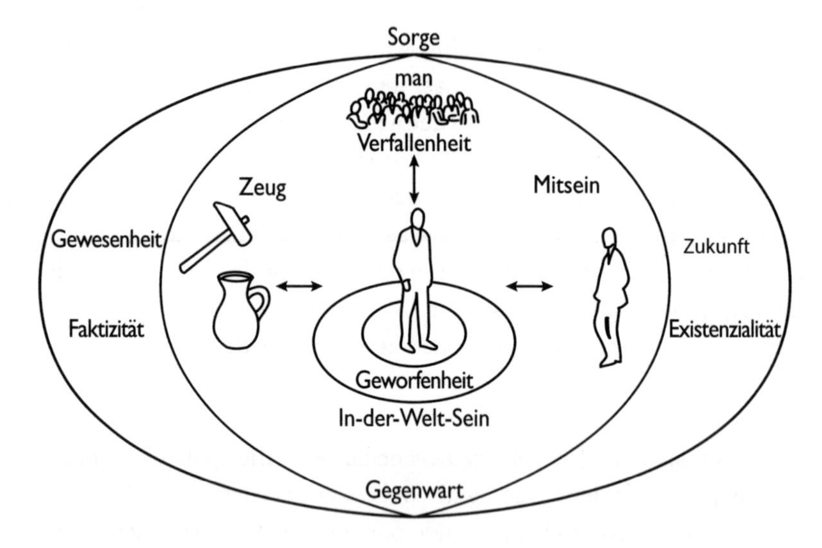

Da esquerda para a direita: *Gewesenheit* significa "vivendo no passado". *Faktizität* quer dizer "arremesso", porque, segundo Heidegger, as pessoas são arremessadas ao mundo. *Zeug* é "instrumento", o objeto com que a pessoa tem uma relação significativa. *Sorge* quer dizer "cuidados" ou "relação", que, de acordo com Heidegger, é a base fundamental do ser-no-mundo porque é o que nos direciona. *Verfallenheit* significa "distanciamento". *Geworfenheit* é "arremessado". *In-der-Welt-Sein* é "ser-no-mundo". *Gegenwart*, "presente". *Mitsein* significa "estar com". *Zukunft* é "futuro". *Existenzialität* quer dizer "existencialidade".

A REVIRAVOLTA

Em algum momento após a Segunda Guerra Mundial, o trabalho de Heidegger começou a mudar de foco, direcionando-se para como o comportamento em si mesmo é dependente de uma já existente "abertura para ser". Afirmava que a manutenção dessa abertura prévia era a essência do ser humano e declarava que na modernidade estávamos nos esquecendo dessa abertura. De acordo com ele, essa abertura era autêntica durante a época dos filósofos pré-socráticos, como Heráclito e Anaximandro; porém, passou a ser deixada de lado com os trabalhos filosóficos de Platão.

Heidegger também se interessou por tecnologia e poesia, acreditando que os dois eram métodos contrastantes de "revelar" o Ser. Enquanto a criação de um novo poema tem a habilidade de revelar o Ser, a nova tecnologia "emoldura" a existência (essa noção foi chamada por ele de *Gestell*) e evidencia a distinção entre sujeito e objeto. Segundo ele, apesar de a tecnologia poder possibilitar que os humanos tenham uma nova compreensão do Ser, a moldura criada por ela ameaça a habilidade humana de perceber e experimentar sua verdade mais primitiva.

VOLTAIRE (1694-1778)

O filósofo controvertido

François-Marie d'Arouet (que mais tarde ficaria conhecido como Voltaire) nasceu em 21 de novembro de 1694, em Paris, e é considerado um dos mais importantes filósofos do Iluminismo. O trabalho que produziu ao longo da vida é tão variado, que se torna difícil classificá-lo como filósofo no sentido tradicional. Além da filosofia, ele também escreveu peças de teatro, novelas, obras históricas, poesia, ensaios e textos científicos.

Voltaire era de uma família burguesa; a mãe descendia de nobres, mas o pai era tabelião e funcionário do Tesouro. Quando ele tinha 7 anos, sua mãe morreu e ele ficou mais próximo do avô, Chateauneuf, um livre-pensador. O avô teve forte impacto em sua vida, pois ensinou o jovem Voltaire sobre literatura, deísmo e a renúncia às superstições.

De 1704 a 1711, ele frequentou o Collège Louis-le-Grand, em Paris, onde recebeu uma educação clássica e aprendeu várias línguas (embora já tivesse aprendido grego e latim quando mais jovem, ele também se tornou fluente em inglês, espanhol e italiano). Quando terminou os estudos, já estava decidido a se tornar escritor. Seu pai, porém, queria que o filho fosse advogado, acreditando que os escritores não contribuíam com nada de valor para a sociedade. Assim, enquanto compunha poesia satírica, Voltaire mentia para o pai que era assistente de um advogado. Até que, por fim, a mentira foi descoberta e o pai de Voltaire o mandou para a escola de direito. Mesmo assim, o rapaz continuou a perseguir sua paixão e logo estava frequentando os círculos intelectuais franceses.

O problema de Voltaire com as autoridades francesas

Ao longo da vida, Voltaire construiu um histórico de oposição às autoridades da França e, como resultado, enfrentou diversas prisões e exílios. Em 1717, ainda na casa dos 20 anos, ficou encarcerado por onze meses na abominável prisão da Bastilha por escrever poemas difamatórios sobre o rei Luís XV. Durante sua permanência na prisão, escreveu sua primeira peça de teatro, *Édipo*, que se tornou um sucesso. Em 1718, ele assumiu o nome Voltaire (um jogo de palavras) e esse é com frequência considerado o momento em que se separou formalmente de seu passado.

Entre 1726 e 1729, depois de ter ofendido um nobre, Voltaire foi forçado a se exilar na Inglaterra, onde foi apresentado às ideias de John Locke, sir Isaac

Newton e da monarquia constitucional britânica, que propunha a liberdade de expressão e de religião. Ao retornar a Paris, em 1733, escreveu sobre sua experiência e visão sobre a Inglaterra no livro *Cartas filosóficas*. A obra foi recebida com enorme controvérsia pelo governo e pela Igreja da França, e Voltaire foi novamente obrigado a deixar Paris.

Passou, então, a viver em exílio no nordeste da França pelos próximos quinze anos ao lado de Émilie du Châtelet, sua amante e colaboradora. Voltaire seguiu escrevendo obras nas áreas de ciência, história, ficção e filosofia (particularmente em metafísica, concentrando-se na legitimidade da Bíblia e na existência de Deus). Ele não clamava apenas por liberdade de religião e pela separação entre Estado e Igreja, mas havia renunciado completamente à religião.

Quando Émilie du Châtelet morreu em 1749, Voltaire mudou-se pra Potsdam para trabalhar para Frederico, o Grande. Em 1753, porém, encontrou-se novamente em meio a uma grande controvérsia por ter atacado o presidente da Academia de Ciências de Berlim. Ele passou, então, um período viajando de cidade em cidade; no entanto, em virtude de seus muitos exílios, chegou perto da fronteira da Suíça (foi ali que escreveu sua famosa obra, *Cândido*).

Aos 83 anos, finalmente retornou a Paris, em 1778, onde recebeu acolhida de herói nacional. Ele morreu naquele mesmo ano, no dia 30 de maio.

A FILOSOFIA DE VOLTAIRE

Voltaire foi fortemente influenciado por John Locke e o ceticismo empírico que estava se disseminando na Inglaterra naquela época. Ele não era somente um crítico sincero da religião; ele também foi responsável pelo afastamento em relação à obra de Descartes e zombava das noções otimistas da religião e do humanismo.

Religião

Voltaire era um crente convicto da liberdade de religião. Embora não fosse ateu (de fato, ele se considerava um deísta), opunha-se à religião organizada e ao catolicismo, vendo a Bíblia como uma referência metafórica de moral criada pelo homem. Em vez disso, ele acreditava que a existência de Deus não era uma questão de fé (e, portanto, não podia se basear em uma fé em particular), mas de razão. Ficou famoso por ter dito a frase: “Se Deus não existisse, seria necessário inventá-lo”.

Política

Voltaire via a monarquia francesa e seu injusto equilíbrio de forças sob uma perspectiva incrivelmente negativa. Segundo ele, a burguesia era muito pequena e ineficiente; a aristocracia era corrupta e parasita; os plebeus, muito supersticiosos e ignorantes; e a única utilidade da Igreja era usar seus tributos religiosos para fortalecer-se o bastante para se opor à monarquia.

Acreditava que a monarquia constitucional que havia conhecido na Inglaterra era a forma ideal de governo. Voltaire não confiava na democracia (declarando que aquilo era "a estupidez das massas") e acreditava que, com a ajuda dos filósofos, um monarca iluminado poderia ampliar o poder e a riqueza da França (o que, segundo ele, era o mais alto interesse da monarquia).

Hedonismo

A perspectiva de Voltaire em relação à liberdade e, na verdade, toda a sua filosofia são firmadas na moralidade hedonista. Essa ideia era expressa com frequência em sua poesia, que apresentava a liberdade moral alcançada com a liberdade sexual. Seus textos mostravam como a moralidade estava enraizada na avaliação positiva do prazer pessoal. Em relação a ética, suas ideias propunham a maximização do prazer e a redução da dor. Sua perspectiva hedonista sempre acabava traduzida como críticas à religião; com frequência, Voltaire atacava os ensinamentos do catolicismo no que se refere aos códigos morais de abstinência sexual, renúncia do corpo e celibato do clero.

Ceticismo

Diferentemente do trabalho de outros filósofos como Descartes (cujo trabalho Voltaire detestava), sua posição filosófica baseava-se no ceticismo. Segundo ele, outros filósofos, como Descartes, eram "romancistas da filosofia". Ele não via o menor valor em criar contas sistemáticas para explicar as coisas de maneira coerente. De acordo com Voltaire, esse tipo de filosofia não é e nunca foi filosofia, e, sim, ficção. Afirmava que o papel do filósofo é entender que, às vezes, a melhor explicação filosófica é que não há explicação. Os filósofos devem libertar as pessoas de seus princípios dogmáticos e de leis irracionais.

Voltaire usava o ceticismo como uma defesa de sua ideologia em relação à liberdade e afirmava que não existe algo que seja uma autoridade sagrada e esteja imune às críticas. Existe constante hostilidade no trabalho dele, seja contra a monarquia, a religião seja contra a sociedade. Ao longo da carreira, usou a inteligência e a sátira para solapar pontos de vista filosóficos dos quais discordava. Por exemplo, seu trabalho mais famoso, *Cândido*, parodiava o otimismo religioso do filósofo Gottfried Leibniz.

Metafísica

Voltaire declarava que a ciência, em grande parte por causa do significativo avanço promovido por sir Isaac Newton (de quem Voltaire era grande defensor), estava se afastando da metafísica. Argumentava que a metafísica deveria ser eliminada completamente da ciência e, de fato, ele foi um dos porta-vozes que mais apoiaram essa noção.

RELATIVISMO

O ser em relação a algo mais

O relativismo não é uma perspectiva particular, mas uma ampla variedade de pontos de vista que compartilham duas ideias: o pensamento, o julgamento, a experiência ou a realidade são de alguma maneira relativos a algo mais e não há uma perspectiva que seja melhor do que a outra.

As ideias relativistas podem ser encontradas em quase todas as áreas de estudo filosófico. Em geral, os argumentos relativistas começam com afirmações plausíveis que, por fim, resultam em conclusões implausíveis. No final das contas, esses argumentos soam melhor quando colocados de maneira abstrata (parecem se tornar falhos e triviais quando aplicados a situações reais). É por essa razão que poucos filósofos defendem o relativismo.

Isso não quer dizer, porém, que o relativismo seja completamente inútil. De fato, alguns dos mais importantes filósofos que já existiram já foram associados (ou acusados de usar) a argumentos relativistas.

A ESTRUTURA DO RELATIVISMO

De modo geral, pode-se pensar o relativismo como: Y é relativo a X. Aqui, Y, que é considerado a variável dependente, pode ser substituído por diferentes atributos de experiência, pensamento, julgamento ou realidade. E X, considerado a variável independente, pode ser substituído por algo que seja visto como contributivo para o valor de Y. "É relativo a" representa o tipo de conexão existente entre X e Y.

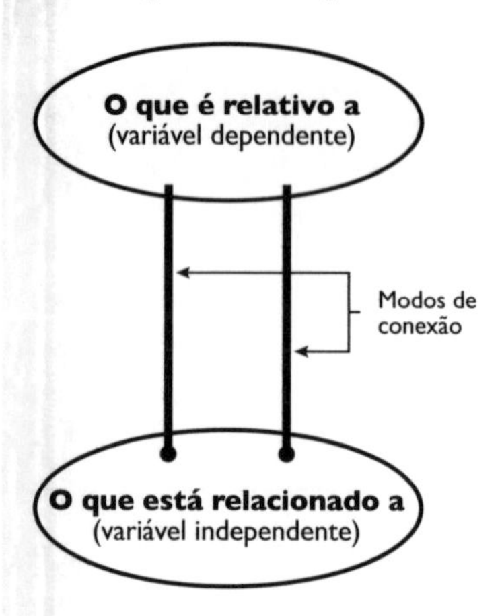

Exemplos da variável dependente (Y) incluem percepção, realidade, verdade, práticas, crenças centrais, conceitos fundamentais, ética e semântica.

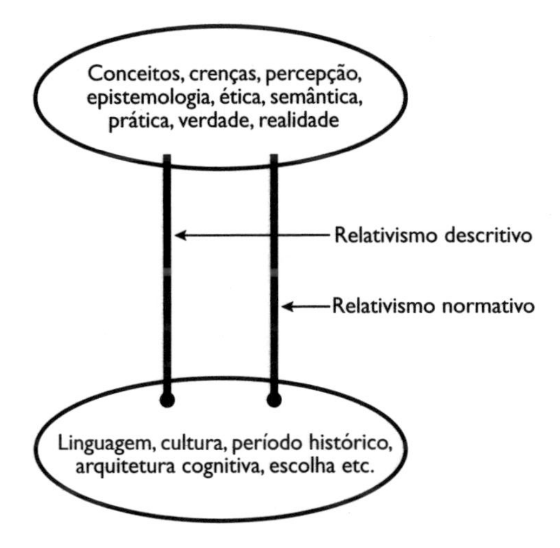

Exemplos de variável independente (X) incluem religião, linguagem, período histórico, cultura, raça, gênero, e status social.

TIPOS DE RELATIVISMO

Relativismo descritivo

O relativismo descritivo é a crença em que diferentes culturas têm códigos morais diferentes (pensamento, raciocínio etc.). Os princípios de dois grupos não são comparáveis e nada implica o comportamento ou a ação de um grupo. Em vez disso, os princípios grupais são descritos. O relativismo descritivo, ao contrário do relativismo normativo, é uma teoria pertencente à antropologia.

Relativismo normativo

O relativismo normativo é uma teoria da ética e afirma que as pessoas devem seguir o código moral de sua sociedade ou cultura. Desse modo, o comportamento imoral é aquele que vai contra o código moral específico daquela sociedade ou cultura. Não existe algo como um princípio moral universal. Segundo o relativismo normativo, não há um código moral de uma sociedade que seja melhor do que o de outra. Por fim, deve haver tolerância com o código moral de cada sociedade, ou seja, é incorreto julgar ou impor as crenças morais de uma sociedade para outra.

Questão de grau

A existência de diferenças entre crenças, conceitos ou padrões epistemológicos não significa necessariamente que haja diferentes visões umas das outras. No relativismo, existem algumas ideias que são mais centrais do que outras.

Se um aspecto desempenha um papel proeminente no desenvolvimento das crenças de um grupo, isso é considerado um conceito central. Quando os filósofos se referem a algo como uma crença central, isso quer dizer que a crença é tão crítica para um grupo ou indivíduo que, se for abdicada, outras crenças também terão de ser abandonadas como resultado. Por exemplo, a noção de que os objetos físicos continuam a existir mesmo quando não há ninguém por perto para percebê-los pode ser considerada uma crença central. No entanto, a ideia de que o rei tem o direito divino de controlar a terra não é perene e, portanto, não é uma crença central. Os conceitos e as crenças centrais estão relacionados e com frequência envolvem uns aos outros. Dito isso, a centralidade não é preto no branco e frequentemente se apresenta em graus.

O relativismo também pode ser local (aplicado somente a uma parte limitada da vida cognitiva ou avaliativa de um indivíduo ou grupo) ou global. No entanto, a localidade também se apresenta em graus.

ARGUMENTOS EM APOIO AO RELATIVISMO

Com frequência, o relativismo é mais assumido do que defendido. No entanto, os argumentos mais comuns em favor do relativismo são os seguintes.

A percepção é parcial

O relativismo perceptual afirma que a percepção (o que vemos, ouvimos, sentimos etc.) de uma situação é, em parte, o resultado de nossas crenças, expectativas e conceitos já existentes. De acordo com o relativismo, a percepção não é considerada um processo psicológico que faz com que as pessoas percebam as coisas da mesma maneira.

Embora as noções dessa parcialidade sejam descritivas da percepção, elas por si mesmas não chegam a conclusões normativas. No entanto, pode ser extremamente difícil, e até mesmo impossível, seguir estritamente a ideia científica da percepção quando as observações são claramente coloridas e afetadas por nossas expectativas e crenças.

A situação hipotética mais famosa em relação a esse conceito foi proposta pelo filósofo N. R. Hanson, que deu o seguinte exemplo: caso Johannes Kepler (que acreditava que o sistema solar é heliocêntrico, isto é, os planetas giram em torno do Sol) e Tycho Brahe (que acreditava que o sistema fosse geocêntrico, isto é, o Sol e a Lua giram em torno da Terra e os demais planetas em torno do Sol) fossem colocados diante do mesmo pôr do sol, os dois veriam coisas completamente diferentes acontecendo. Enquanto Brahe veria o Sol se movimentando, Kepler veria o Sol no mesmo lugar e o horizonte mergulhando.

Infinitos cenários alternativos

As frases e as palavras de uma pessoa (que são representativas de suas crenças e seus conceitos) são determinadas pela forma com que a cultura, comunidade linguística e base científica a moldaram. Se dois desses fundamentos forem consideravelmente diferentes um do outro (por exemplo, a base científica de um grupo for drasticamente diferente daquela de outro grupo cultural), então, as pessoas dos dois grupos não serão capazes de se comunicar entre si porque as palavras e frases do primeiro grupo não farão sentido para o segundo e vice-versa.

Se essa teoria é considerada consistente, a percepção pode, então, ser usada para apoiar essa proposição: diferentes fundamentos fazem com que dois grupos percebam coisas de maneiras diferentes.

ARGUMENTOS CONTRA O RELATIVISMO

Existem muitos argumentos contra o relativismo e cada um deles depende se o tema do debate é o relativismo descritivo ou o normativo.

Argumentos contra o relativismo descritivo

Sem conceitos ou crenças prévias

Os grupos não podem ter conceitos ou crenças diferentes se não houver conceitos ou crenças de início. Esse argumento foi apresentado pelo filósofo norte-americano Willard van Orman Quine, que afirmava a inexistência dos fatos. Se for esse o caso, então, também não faz sentido ter questões normativas que avaliem se um conceito ou crença é melhor do que o de outro indivíduo ou grupo.

A percepção não é completamente parcial

A teoria do relativismo perceptual descritivo afirma que a percepção pode ser parcial; no entanto, essa parcialidade não é tão severa quanto a proposta pelos seguidores do relativismo extremo. Essa teoria enfraquece ainda mais a noção de que a percepção é parcial porque também demonstra apoio a várias formas diferentes de relativismo normativo.

A extensão da influência de conceitos, expectativas e crenças sobre nossas percepções ainda é controversa, mas muitos filósofos concordam que esses fatores têm um papel crítico. Afinal de contas, nós ainda falamos sobre o nascer e o pôr do sol. E quase quatro séculos já se passaram desde o trabalho inovador de Kepler! Mesmo na época de Kepler e de Brahe, entendia-se que, independentemente do raciocínio científico por trás, os dois homens viam exatamente a mesma coisa.

Modelo de Sistema Solar de Brahe

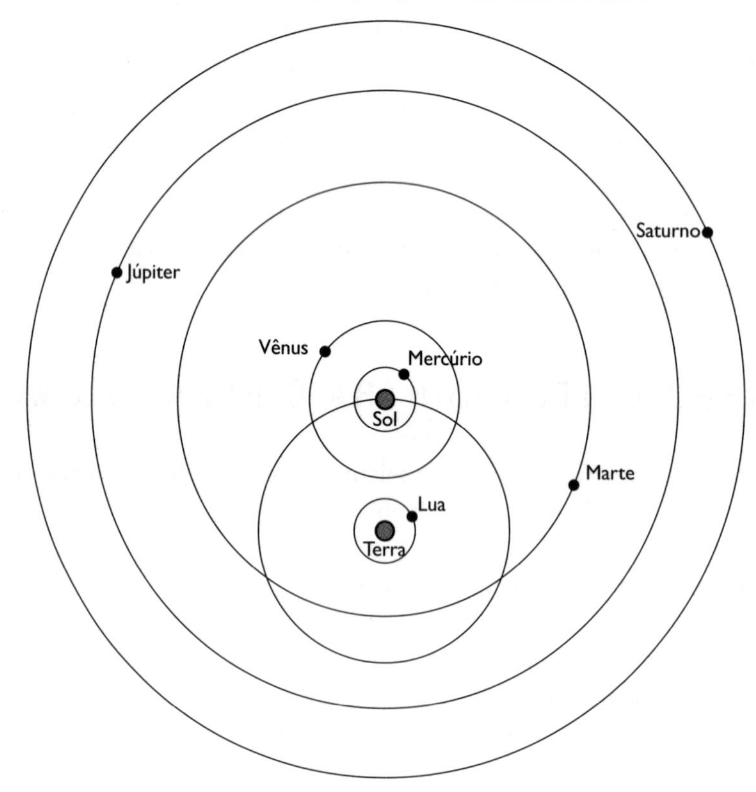

Modelo de Sistema Solar de Kepler

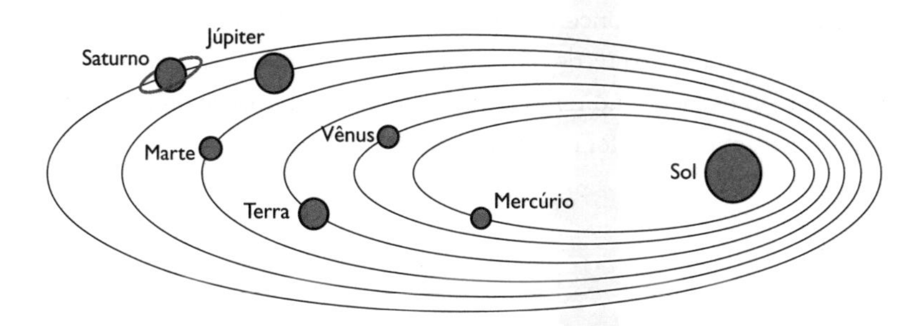

Compare o modelo do Sistema Solar de Brahe ao de Kepler. Mesmo vendo a mesma coisa, a maneira pela qual percebem o que acontece é completamente diferente.

Universais cognitivos e arquitetura cognitiva

Há evidência de que existem determinados universais culturais, linguísticos e cognitivos entre as pessoas, independentemente do grupo específico a que pertençam. A existência desses universais vai contra o relativismo descritivo.

Argumentos contra o relativismo normativo

O problema da mediação

A premissa mais básica do problema da mediação é a noção de que conceitos, crenças e padrões epistemológicos tornam-se armadilhas que impedem que os indivíduos vejam se as crenças e os conceitos refletem a realidade. Uma das versões mais populares para o problema da mediação afirma que ninguém é capaz de pensar sem ter conceitos ou de falar sem as palavras. Dessa forma, é impossível ir além dos nossos conceitos e das nossas palavras para avaliar como o mundo realmente é.

A ininteligibilidade resultante da extrapolação

Com frequência, o relativismo envolve tirar conclusões sobre um grupo que é diferente de outro grupo. Contudo, só porque uma pessoa pode imaginar coerentemente conceitos e crenças com pequenas diferenças, isso não significa que também possa imaginar conceitos e crenças com grandes diferenças. De fato, quando alguém tenta extrapolar essas diferenças, isso pode levar à incoerência e à ininteligibilidade.

Argumentos transcendentais

Os argumentos transcendentais mais famosos foram dados por Immanuel Kant, que afirmava que os conceitos (que ele chamava de "categorias") como objetos, propriedade, causação etc. devem existir primeiro para que uma pessoa experiencie coisas no espaço e no tempo. Segundo ele, os humanos têm justificativa para usar esses conceitos e ter essas crenças.

FILOSOFIA ORIENTAL

Ideias do outro lado do mundo

As filosofias orientais são aquelas vindas de várias regiões da Ásia (de certo modo, as filosofias do Oriente Médio também estão agrupadas nesse termo). A noção de que a expressão *filosofias orientais* pode ser um equívoco, porém, deve-se em parte à ampla variedade de culturas que ela engloba. As filosofias originadas na China, por exemplo, são drasticamente diferentes daquelas vindas da Índia.

Em sentido bastante geral, porém, se os objetivos da filosofia ocidental podem ser definidos pela busca e a comprovação da noção de "verdade", então, os da filosofia oriental são a aceitação das "verdades" e a busca pelo equilíbrio. Enquanto a filosofia ocidental enfatiza o indivíduo e os direitos individuais, a filosofia oriental enfatiza a união, a responsabilidade social e a inter-relação entre tudo (que, por sua vez, não pode ser separada do todo cósmico). É por isso que, muitas vezes, as escolas da filosofia oriental são indistinguíveis das diferentes religiões existentes no mundo.

FILOSOFIA INDIANA

As diversas filosofias originadas na Índia, chamadas de *darshanas* em sânscrito, são disciplinas que têm o objetivo de melhorar a vida. Existem as escolas ortodoxas (filosofias indianas) e as heterodoxas (as não indianas).

Escolas ortodoxas

As escolas ortodoxas ou indianas tiram seus princípios do texto sagrado, *Vedas*.

Samkhya

A samkhya é a escola filosófica indiana mais antiga e afirma que todas as coisas da realidade derivam do *prakriti* (isto é, energia, matéria e a criatividade) e do *purusha* (isto é, alma, mente ou eu). Ao contrário do dualismo das filosofias ocidentais que se divide em mente e corpo, o dualismo da samkhya baseia-se na alma (uma realidade absoluta, indivisível e eterna que é consciência pura) e na matéria. A libertação total ocorre quando a pessoa compreende as diferenças entre a alma e as disposições da matéria (como embotamento, atividade e estabilidade).

Ioga

A escola da ioga refere-se à metafísica e à psicologia da shamkhya; no entanto, é caracterizada pela presença de uma entidade divina. O objetivo da ioga, com base nos sutras (escritos no século II a.C.), é aquietar a mente para alcançar a liberdade de espírito chamada *kaivalya*.

Nyaya

Grandemente influenciada por outras escolas, a nyaya é um sistema lógico no qual seus seguidores acreditam que o conhecimento válido deriva de inferência, percepção, testemunho e comparação. Ao alcançar o conhecimento por meio desses caminhos, a pessoa torna-se liberada do sofrimento. A escola nyaya também desenvolve critérios para determinar quais conhecimentos são válidos e quais são inválidos.

Vaisheshika

Criada no século VI a.C., esta escola se baseia no pluralismo e no atomismo. De acordo com a vaisheshika, tudo no universo físico pode ser reduzido a um número finito de átomos e a brahman (a realidade definitiva por trás dos deuses e do universo), que é o que dá consciência aos átomos. Finalmente, as escolas nyaya e vaisheshika acabaram por se fundir; embora a vaisheshika só aceite como fonte de conhecimento válido a inferência e a percepção.

Purva Mimamsa

Fundamentada na interpretação do Vedas, a purva mimamsa envolve a fé absoluta no texto sagrado e é autoridade na sua interpretação. Inclui a realização de sacrifícios com fogo para, acredita-se, sustentar o universo. Apesar de a purva mimamsa acreditar nos conceitos lógicos e filosóficos das outras escolas, seus seguidores argumentam que a única maneira de alcançar a salvação é viver de acordo com os ensinamentos do *Vedas*. Mais tarde, a escola purva mimamsa passou a insistir que, para libertar a alma, a pessoa tem de participar de atividades iluminadas.

Vedanta

A escola vedanta é voltada aos ensinamentos filosóficos da contemplação mística encontrados no *Vedas*, conhecidos por upanixades. Essa escola enfatiza a importância da meditação, da conectividade espiritual e da autodisciplina.

Escolas heterodoxas

As quatro escolas heterodoxas, ou não indianas, não aceitam a autoridade presente no *Vedas*.

Carvaka

Esta escola se apoia no materialismo, no ateísmo e no ceticismo. A percepção, segundo a carvaka, é a única fonte de conhecimento válido.

Filosofia política indiana

Na Índia, a filosofia política data do século IV a.C. com o *Arthashastra*, um texto que discute a política econômica e o estadismo. No século XX, outra filosofia política foi tornada popular por Mahatma Gandhi, que foi fortemente influenciado pelos escritos de Jesus, Leon Tolstoi, John Ruskin, Henry David Thoreau e o hindu Bhagavad Gita. Gandhi deu ênfase à filosofia política com base na *ahimsa* (não violência) ou satyagraha — resistência não violenta.

Budismo

Os princípios filosóficos do budismo firmam-se nas Quatro Nobres Verdades (a verdade do sofrimento; a verdade da causa do sofrimento; a verdade do fim do sofrimento e a verdade do caminho que liberta do sofrimento). O budismo defende a ideia de que, para terminar com o sofrimento, a pessoa deve seguir o Nobre Caminho Óctuplo. A filosofia do budismo aborda ética, metafísica, epistemologia, fenomenologia e a noção de que Deus é irrelevante.

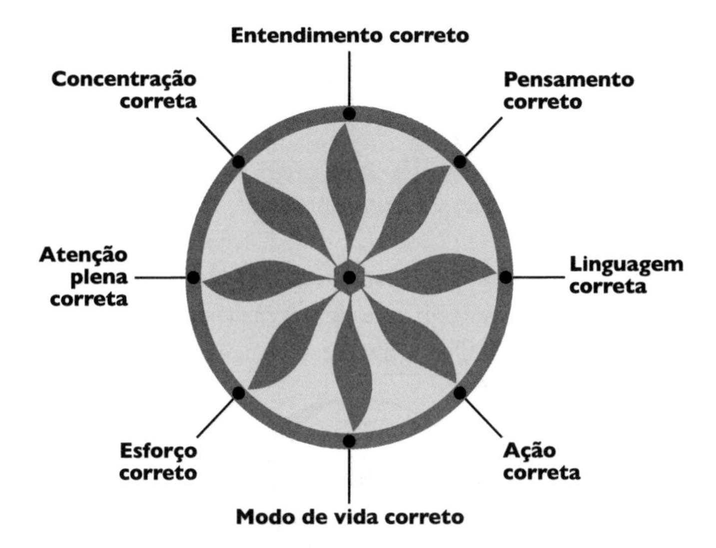

Jainismo

Uma das ideias mais essenciais do jainismo é a *anekantavada*, a noção de que diferentes pontos de vista percebem a realidade de maneira diferente e, dessa forma, não existe uma perspectiva completamente verdadeira. Nessa escola, a única pessoa que possui o verdadeiro conhecimento e sabe a resposta verdadeira é chamada de kevalis; todas as outras pessoas sabem apenas parte de uma resposta. O janaismo dá grande ênfase à igualdade da vida, à independência espiritual, à não violência e ao fato de que o comportamento dos indivíduos tem consequências imediatas. O autocontrole, de acordo com essa filosofia, é crucial para que a pessoa compreenda a verdadeira natureza da alma.

FILOSOFIA CHINESA

As quatro escolas filosóficas mais influentes da China surgiram por volta de 500 a.C. (o mesmo período em que começaram a aparecer os filósofos da Grécia antiga), em uma época que ficou conhecida como a Discórdia da Centena de Escolas do Pensamento. As correntes dominantes eram o confucionismo, o taoísmo, o moísmo e o legalismo. Durante as várias dinastias chinesas, essas escolas do pensamento, junto com o budismo, foram incorporadas à doutrina oficial.

Confucionismo

Com base nos ensinamentos de Confúcio, é um sistema filosófico que aborda temas relacionados a política, sociedade e moralidade e tem natureza quase religiosa (embora não seja uma religião e possibilite que uma pessoa siga uma fé enquanto é também adepta do confucionismo). Confúcio criou a ideia da meritocracia; a Regra Dourada (que afirma que uma pessoa deve tratar os outros da maneira que gostaria de ser tratada); a noção de *yin* e *yang* (duas forças que se opõem uma a outra e estão permanentemente em conflito, criando, por sua vez, contradição e mudança sem fim) e a ideia de que para encontrar o meio-termo a pessoa deve reconciliar os opostos. As principais ideias do confucionismo são: *ren* (humanidade para outros), *zhengming* (retificação dos nomes), *zhong* (lealdade), *xiao* (piedade filial, respeito pelos pais e pelos mais velhos) e *li* (ritual).

✦ O símbolo de *yin* e *yang*

Taoísmo

O taoísmo começou como filosofia e mais tarde tornou-se uma religião. *Tao* quer dizer "caminho" ou "jornada" e costuma ser usado em sentido metafísico para representar o fluxo do universo ou o foco da ordem natural. A filosofia taoísta enfatiza o humanismo, o relativismo, o desapego, a espontaneidade, a flexibilidade e a não ação. Como o confucionismo, o taoísmo dá grande importância ao *yin* e *yang*, aos Oito Trigramas, oito princípios inter-relacionados da realidade, e também ao *feng shui*, um antigo sistema de leis que usa cores e arranjos espaciais para a conquista da harmonia e do equilíbrio do fluxo de energia.

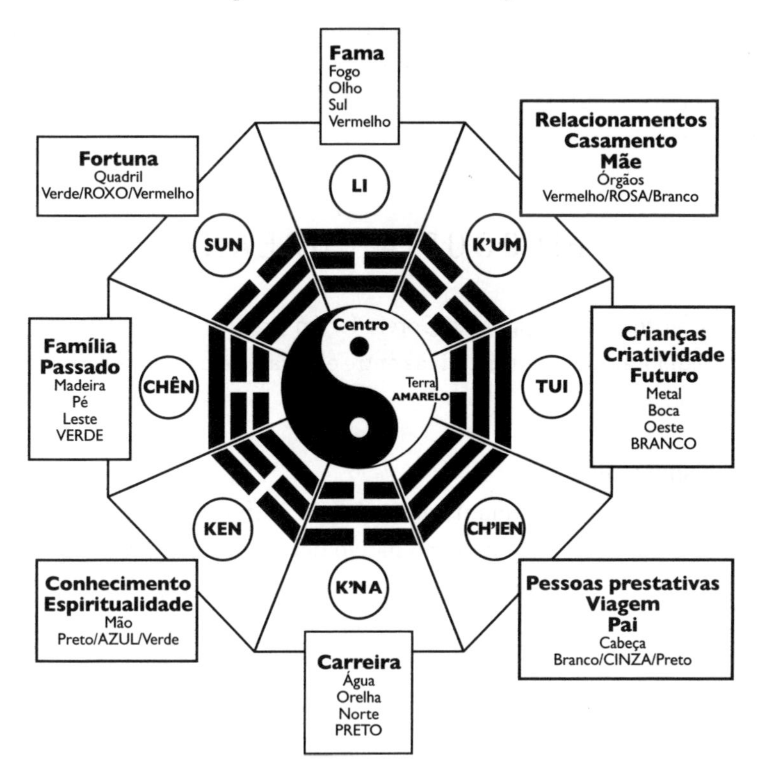

Legalismo

Filosofia política apoiada na ideia de que deveriam existir leis claras e estritas para ser obedecidas pelas pessoas ou, então, elas seriam severamente punidas. Fundamentado na jurisprudência, legalismo significa "filosofia das leis". Segundo a doutrina, os legisladores deveriam governar pelas diretrizes do *fa* (lei), *shu* (tática, arte, método e gestão das questões do estado) e *shi* (poder, carisma e legitimidade).

Moísmo

A doutrina busca o benefício mútuo pelo apoio à ideia do amor universal. De acordo com o moísmo, para evitar a guerra e os conflitos, todas as pessoas deviam se amar umas às outras igualmente. O fundador do moísmo, Mozi (470-390 a.C.), era contrário aos ensinamentos ritualísticos de Confúcio. Em vez disso, acreditava que os indivíduos deviam se envolver em atividades mais práticas para a sobrevivência, como a agricultura, a segurança e o gerenciamento dos assuntos do Estado.

Budismo

Conforme o budismo se disseminou para a China, outras escolas de pensamento como o taoísmo e o confucionismo foram sendo integradas, criando novas doutrinas budistas. Esses novos tipos de budismo enfatizavam mais a ética e menos a metafísica.

FILOSOFIA COREANA

As escolas filosóficas surgidas na Coreia foram grandemente influenciadas por outras da região; as mais significativas entre elas são: xamanismo, confucionismo, taoísmo e budismo.

Xamanismo nativo

Embora mais tarde o xamanismo tenha sido influenciado pelos pensamentos taoístas e budistas, o xamanismo nativo desenvolveu-se na Coreia ao longo de milhares de anos. Trata-se da crença de que existem espíritos prestativos e malignos no mundo natural e que somente as pessoas com poderes especiais, os xamãs, podem percebê-los. Na Coreia, em geral, o xamã era uma mulher chamada *mudang*. Ela se conecta com o mundo espiritual e tenta resolver os problemas humanos.

Budismo

Quando o budismo foi trazido da China para a Coreia, no ano 372 d.C., os espíritos xamanistas foram incorporados àquela escola filosófica do pensamento em um esforço de resolver o que os coreanos viam como as inconsistências do budismo chinês.

Confucionismo

Também trazido da China para a Coreia, o confucionismo teve, de fato, um impacto bastante significativo na sociedade coreana, modelando seus sistemas moral e legal, além de orientar o relacionamento entre os jovens e os mais velhos. As ideias mais importantes encorajadas pela escola coreana do confucionismo (também chamada de neoconfucionismo) foram: *hyo* (piedade filial), *chung* (lealdade), *sin* (confiança) e *in* (benevolência).

Taoísmo

Tendo chegado à Coreia em 674 d.C., foi bastante popular no começo da dinastia Goryeo (918-1392), mas depois, junto com outras filosofias e religiões, o taoísmo passou a ser incorporado ao budismo. A doutrina nunca se tornou religião na Coreia, mas sua influência ainda pode ser sentida no pensamento local.

Filosofia coreana na era moderna

Em 1910, com a ocupação japonesa, o xintoísmo tornou-se a religião oficial na Coreia. Durante esse período, os filósofos idealistas alemães também se tornaram populares entre os coreanos. Quando a Coreia foi dividida em dois países (norte e sul), a população do norte passou a seguir a ortodoxia marxista, também incorporando ideias do maoísmo chinês e a noção de *yangban* (classe dominante) derivada do confucionismo coreano.

FILOSOFIA JAPONESA

A filosofia japonesa é uma fusão de conceitos do Japão, da China e dos filósofos ocidentais. Apesar da influência e da presença do taoísmo e do confucionismo no país, o xintoísmo e o budismo causam um impacto mais forte.

Xintó

A religião nativa e oficial do Japão até a Segunda Guerra Mundial é conhecida como xintó, que, embora não seja em si mesma necessariamente uma filosofia, tem impacto profundo nas filosofias surgidas no país. O xintoísmo é uma forma de animismo politeísta pelo qual o mundo é explicado pelos poderes de espíritos invisíveis chamados de *kami*. Quando o budismo chegou ao Japão no século VI vindo da China e da Coreia, muitos elementos da doutrina foram incorporados ao xintoísmo. Embora não haja princípios dogmáticos relacionados no xintó, a ênfase é colocada em ideias-chave, como viver em amor profundo, respeitar a natureza, a tradição, a família e a limpeza. Além disso, existem rituais chamados de *matsuri* que celebram os *kami*.

Budismo

O budismo foi trazido para o Japão em 550 d.C. e se formaram três escolas com a incorporação de novas ideias.

Zen budismo

Foi trazido da Coreia (que recebeu da China uma versão com base nos ensinamentos da doutrina indiana maaiana — um dos três caminhos da iluminação) e formou sua própria escola de pensamento no século XX. Os princípios do zen budismo afirmam que todo ser sensível tem virtude e sabedoria inerentes (a natureza de buda) alojadas na mente. De acordo com a doutrina, com a meditação e a vivência de um dia a dia significativo, uma pessoa é capaz de descobrir sua natureza de Buda. Atualmente, existem três correntes do zen budismo no Japão:

1. Soto (a maior das escolas)
2. Rinzai (que tem muitas subdivisões)
3. Obaku (a menor das escolas)

Budismo amidista

O budismo amidista, também conhecido como Terra Pura, é uma das formas mais populares da doutrina no Japão e na China e tem fundamento nos ensinamentos de Amitabha Buddha. De acordo com essa corrente, a iluminação é garantida a quem devotar a vida ao relacionamento com Amitabha Buddha (a maneira mais básica para praticar isso é cantando o nome de Amitabha Buddha em completa concentração) e a pessoa iluminada renascerá na Terra Pura.

Budismo nitiren

Com base nos ensinamentos do monge japonês Nitiren, que viveu durante o século XIII. Uma das principais crenças desta escola é que, como as pessoas têm inata a natureza de Buda internamente, então, são capazes de alcançar a iluminação nesta vida e na sua forma física atual.

Influência da filosofia ocidental

O movimento filosófico chamado de Escola de Quioto surgiu durante o século XX na Universidade de Quioto e muitas ideias da filosofia e da religião ocidentais foram incorporadas aos conceitos tradicionais da Ásia Oriental. Especificamente, as ideias de Hegel, Kant, Heidegger, Nietzsche e da cristandade foram usadas para reformular a moral e a compreensão religiosa.

AVICENA (980-1037)

O filósofo mais influente da Era Dourada do Islã

Ibn Sina (também conhecido pelo nome latinizado de Avicena) viveu de 980 a 1037, em uma região hoje chamada de Uzbequistão. Médico e filósofo persa, Avicena é considerado a mais importante figura da Era Dourada do Islã.

Com talento excepcional, escrevia livros de medicina que tiveram forte impacto não apenas no mundo islâmico, disseminando suas ideias e seus conhecimentos por toda a Europa. Além dos livros médicos, Avicena também escrevia longamente sobre ética e lógica, e sua filosofia, no que se refere à alma e à essência da existência, teve influência notável no pensamento ocidental.

AVICENA E A ERA DOURADA DO ISLÃ

A Era Dourada do Islã ocorreu durante a Idade Média, quando a Europa estava profundamente envolta pelo dogmatismo religioso e avançou relativamente muito pouco, mantendo-se estagnada no campo da filosofia. Enquanto isso, o pensamento filosófico florescia no mundo islâmico, em grande parte, por causa do trabalho de Avicena. Considerado uma das figuras mais importantes desse período, introduziu os trabalhos de Aristóteles e as ideias neoplatônicas no mundo islâmico.

A METAFÍSICA DE AVICENA: ESSÊNCIA E EXISTÊNCIA

Avicena argumentava que a essência (chamada de *mahiat*) é independente da existência (chamada de *wujud*) e é eterna e imutável. Afirmava que a essência precede a existência, sendo esta simplesmente acidental. Desse modo, de acordo com ele, qualquer coisa que passe a existir é o resultado de uma essência que possibilitou essa existência.

Essa noção de essência e existência é semelhante à Teoria das Formas de Platão (a ideia de que tudo que existe recai em um arquétipo preexistente e até mesmo quando aquilo deixa de existir o arquétipo permanece); no entanto, Avicena acreditava que Alá (a Primeira Realidade) era a única coisa no mundo que não era precedida por uma essência. Segundo ele, Alá é um ser necessário que não pode ser definido. Quando alguém tenta definir Alá, essa simples ação já encontra oposição.

Por exemplo, se a pessoa diz "Alá é a beleza", isso também deve significar que "Alá não é a feiura", o que não é o caso, pois tudo deriva de Alá.

Lógica

Avicena, um devoto muçulmano, acreditava que a lógica e a razão podiam ser usadas para provar a existência de Deus e, com frequência, recorria a elas para interpretar o Qur'an. Para ele, a lógica servia para avaliar os conceitos formados com as quatro faculdades da razão: estimativa (*wahm*), memória (*al-khayal*), percepção sensorial (*al-hiss al-mushtarak*) e imaginação (*al-mutakhayyila*). De acordo com Avicena, a imaginação é crucial porque possibilita que um indivíduo seja capaz de comparar novos fenômenos a conceitos já existentes.

Ele também acreditava que a lógica podia ser usada para adquirir novos conhecimentos, fazer deduções, ajudar uma pessoa a avaliar se um argumento é válido ou não e compartilhar aprendizados com os outros. Para alcançar a salvação, Avicena afirmava que a pessoa deveria adquirir conhecimento e aperfeiçoar seu intelecto.

EPISTEMOLOGIA E OS DEZ INTELECTOS

A teoria da criação de Avicena era bastante derivada daquela desenvolvida por Al-Farabi, outro famoso filósofo islâmico. De acordo com essa teoria, a criação do mundo seguiu o Primeiro Intelecto, que começou a contemplar a própria existência e, ao fazê-lo, criou o Segundo Intelecto. Conforme o Segundo Intelecto passou a contemplar sua origem divina, o Primeiro Espírito foi criado e deu luz ao universo, que é chamado de a Esfera das Esferas. Enquanto a Esfera das Esferas contempla que é algo com potencial para existir, foi criada a matéria. E essa matéria preencheu o universo e criou a Esfera dos Planetas.

Foi dessa tripla contemplação que surgiram os primeiros estágios da existência. Enquanto o processo continua, foram criadas duas hierarquias celestiais como resultado do surgimento de novos intelectos: a Hierarquia Inferior (à qual Avicena se refere como a dos "Anjos da Magnificência") e a Hierarquia Superior do Querubim. De acordo com ele, os anjos, que são responsáveis pelas visões proféticas dos humanos, não possuem percepções sensoriais. Eles têm, no entanto, uma grande imaginação que os faz desejar o intelecto do qual se originaram. A jornada dos anjos para se encontrar com seu respectivo intelecto cria um eterno movimento no céu.

Os seguintes sete intelectos e os anjos criados por eles correspondem a diferentes corpos na Esfera dos Planetas: júpiter, marte, saturno, vênus, mercúrio, o Sol e a Lua (que é associada ao anjo Gabriel, "O Anjo"). É do nono intelecto que surge o humano (com as funções sensoriais que faltam aos anjos).

Avicena afirma, então, que o décimo e último intelecto é o humano. Segundo ele, por si só a mente humana não foi formada para o pensamento abstrato. O ser humano tem somente o potencial do intelecto, que é trazido à tona por uma iluminação do Anjo. Essa iluminação varia em graus: os profetas, por exemplo, foram tão iluminados que têm o intelecto racional e a imaginação e ainda a habilidade de transmitir o que sabem para os outros; outras pessoas podem ter apenas a imaginação suficiente para ser professor, escrever, transmitir informações e as leis; enquanto outras podem receber ainda menos iluminação. A visão de Avicena sobre a humanidade é como se tivéssemos uma consciência coletiva.

O HOMEM FLUTUANTE DE AVICENA

Para demonstrar a autoconsciência e a imaterialidade da alma, Avicena criou o famoso experimento mental do "Homem Flutuante", que propõe o seguinte: a pessoa deve imaginar uma situação em que seu corpo está suspenso no ar e, enquanto flutua, ela experimenta o total isolamento de seus sentidos (o que significa que não terá nem mesmo contato sensorial com o próprio corpo).

Avicena argumentava que, apesar desse isolamento dos sentidos, a pessoa ainda continuaria a ter autoconsciência. Se uma pessoa que está isolada da experiência dos sentidos ainda tem a capacidade de determinar sua existência, de acordo com ele, isso demonstra que a alma é uma substância imaterial que existe independente do corpo. Por fim, Avicena conclui: como essa situação é concebível, isso aponta para a conclusão de que a alma é percebida intelectualmente.

Além disso, ele acreditava que o cérebro é onde a razão e a sensação interagem uma com a outra. No experimento mental do Homem Flutuante, o primeiro e mais básico conhecimento que um indivíduo deve ter é "Eu sou", o que confirma a essência dessa pessoa. Como o indivíduo está isolado da experiência sensorial, a essência não pode vir do corpo. Assim, o ponto mais básico de uma pessoa é o conhecimento de que "Eu sou", o que significa não somente que a alma existe; a alma é autoconsciente. E Avicena conclui que, além de ser uma substância imaterial, a alma é perfeita.

BERTRAND RUSSELL (1872-1970)

O filósofo lógico

Bertrand Russell nasceu em 18 de maio de 1872, em Ravenscroft, no País de Gales. Com 4 anos, perdeu o pai e a mãe e, junto com o irmão mais velho, foi morar com os avós que eram muito rigorosos (seu avô, lorde John Russell, foi primeiro-ministro e o primeiro conde de Russell). Quando ele tinha 6 anos, o avô também morreu, deixando o garoto e seu irmão mais velho apenas com a avó. Já bem jovem, Russell queria se libertar daquele ambiente doméstico repleto de proibições e regras, e esse desejo, assim com a descrença na religião, teriam reflexos profundos em toda a sua vida.

Em 1890, ingressou na Trinity College, em Cambridge, onde obteve excelentes resultados em matemática e filosofia. De início, interessou-se bastante pelo idealismo (a noção de que a realidade é produto da mente), embora anos depois de ter deixado Cambridge fosse rejeitar inteiramente essa teoria em favor do realismo (a ideia de que a consciência e a experiência existem independentemente do mundo exterior) e do empirismo (a ideia de que o conhecimento deriva da experiência sensorial do mundo exterior).

Os trabalhos iniciais de Bertrand Russell eram focados em matemática. Sua defesa do logicismo (a noção de que toda a matemática pode ser reduzida até princípios lógicos simples) foi incrivelmente importante e, se comprovada como verdadeira, demonstraria que a matemática é legitimamente um conhecimento *a priori*. Embora suas ideias filosóficas tenham abordado muitos temas ao longo da vida (incluindo moralidade, filosofia da linguagem, metafísica e linguística), Russell sempre continuou trabalhando em lógica e escreveu uma obra em três volumes denominada *Princípios da matemática* para demonstrar que todos os princípios da matemática, a aritmética e os números derivam da lógica.

Russell junto com seu aluno Ludwig Wittgenstein e o filósofo G. E. Moore são considerados os fundadores da filosofia analítica.

Definições filosóficas

FILOSOFIA ANALÍTICA: considerada simultaneamente uma tradição histórica e um método prático, a filosofia analítica (que também se tornou sinônimo de positivismo lógico) é a ideia de que uma pessoa deveria praticar e executar a filosofia da mesma maneira que pratica e executa a inquirição científica: com precisão e rigor. Isso é feito pelo uso da lógica e sendo cético em relação aos pressupostos.

Embora tenha sido filósofo, matemático e lógico, Bertrand Russell primeiro tornou-se conhecido do público como resultado de suas convicções controversas em relação à reforma social. Ele foi um ativista do pacifismo durante a Primeira Guerra Mundial e participou de vários protestos. Essas posições não somente o fizeram ser expulso da Trinity College como também o levaram a ser preso. Mais tarde, durante a Segunda Guerra Mundial, embora fizesse uma campanha incansável contra Adolf Hitler e o Partido Nazista, ele rejeitou suas ideias pacifistas por uma abordagem mais relativista. Russell também se tornou um crítico público do regime totalitário de Stalin, do envolvimento dos Estados Unidos na guerra do Vietnã e a favor do desarmamento nuclear. Em 1950, recebeu o Prêmio Nobel de Literatura.

ATOMISMO LÓGICO

Bertrand Russell criou o atomismo lógico, a ideia de que a linguagem pode ser quebrada em partes menores de maneira semelhante ao que é possível fazer com a matéria física. Assim que uma sentença é quebrada nessas pequenas partes que não podem mais ser reduzidas, estamos diante dos "átomos lógicos". Ao olhar para esses átomos lógicos, deveríamos ser capazes de revelar os pressupostos subjacentes de uma sentença e, então, poderíamos determinar melhor se é válida, ou não.

Por exemplo, vamos dar uma olhada na seguinte sentença: "O rei dos Estados Unidos é careca".

Essa sentença parece simples; no entanto, podemos quebrá-la para encontrar três átomos lógicos.

1. O rei dos Estados Unidos existe.
2. Existe um rei nos Estados Unidos.
3. O rei dos Estados Unidos não tem cabelos.

Como sabemos que não há rei nos Estados Unidos, o primeiro átomo se mostra falso. Portanto, a sentença "O rei dos Estados Unidos é careca" não é verdadeira. No entanto, isso não significa necessariamente que seja adequadamente falsa porque o oposto da afirmação — "O rei dos Estados Unidos tem cabelo" — também não é verdadeira. Nos dois casos, parte-se do pressuposto de que os Estados Unidos têm um rei. Com o atomismo lógico, somos capazes de verificar a validade e o grau de verdade. Isso nos leva à questão que ainda é debatida: se algo é não verdadeiro ou falso, então, o que isso é?

TEORIA DAS DESCRIÇÕES

A contribuição mais importante de Bertrand Russell para a linguística foi a sua teoria das descrições, na qual propõe que a verdade não pode ser representada pela linguagem comum porque é muito ambígua e enganadora. Ele afirmava que, para a filosofia se livrar de pressupostos e equívocos, era preciso uma linguagem diferente e mais rigorosa. Segundo ele, essa linguagem deveria se fundamentar na lógica matemática e teria a aparência semelhante à de um conjunto de equações.

Ao tentar responder à questão provocada pela sentença "O rei dos Estados Unidos é careca", Russell criou a teoria das descrições. Para ele, descrições definidas são nomes, frases ou palavras que se referem a um único objeto (como "aquela mesa", "Austrália" ou "Steven Spielberg"). Se uma frase contém descrições definidas, trata-se, na verdade, de uma maneira de abreviar um conjunto de afirmações. Dessa forma, Russell foi capaz de mostrar que a gramática obscurece a lógica de uma sentença. Contudo, na sentença "O rei dos Estados Unidos é careca", o objeto que é descrito é não existente ou ambíguo (que Russell chamava de "símbolos incompletos").

TEORIA DOS CONJUNTOS E PARADOXO DE RUSSELL

Conforme Bertrand Russell tentava reduzir todos os tipos de matemática em lógica, a teoria dos "conjuntos" foi se tornando muito importante. Ele definia conjunto como "uma coleção de membros ou elementos" (em outras palavras, objetos). Os conjuntos podem ser definidos negativamente ou apresentar subconjuntos, que, por sua vez, podem ser adicionados ou subtraídos. Por exemplo: um conjunto pode ser formado por todos os norte-americanos; um conjunto definido negativamente pode ser o de tudo o que não é norte-americano; e um subconjunto de um conjunto pode ser formado por todos os nova-iorquinos dentro do conjunto de todos os norte-americanos.

Embora Russell não tenha sido o criador da teoria dos conjuntos (desenvolvida por Gottlob Frege), ele revolucionou inteiramente os princípios fundamentais com a introdução do "Paradoxo de Russell" em 1901.

O paradoxo de Russell lida com o conjunto de todos os conjuntos que não é integrante de si mesmo. Por exemplo, vamos pensar no conjunto de todos os cães que já existiram. O conjunto de todos os cães que já existiram também não é um cão, mas realmente existem alguns conjuntos que são integrantes de si mesmos.

Se pensarmos no conjunto formado por tudo o que não é um cão, por exemplo, temos de incluir o próprio conjunto nele porque aquele conjunto também não é um cachorro.

Quando alguém tenta pensar no conjunto que é formado pelos conjuntos que não são integrantes de si mesmos, o resultado é um paradoxo. Por quê? Porque vemos um conjunto que contém conjuntos que não são membros de si mesmos e, ainda assim, pela definição básica do conjunto original (um conjunto formado pelos conjuntos que não são membros de si mesmos), isso significa que ele também deve incluir a si mesmo. Contudo, como sua definição afirma que ele não pode incluir a si mesmo, surge, assim, uma contradição.

É com o paradoxo de Russell que percebemos a imperfeição da teoria dos conjuntos. Ao chamar qualquer grupo de objetos de conjunto, podem surgir situações impossíveis logicamente. Ele afirmou que, para consertar essa falha, a teoria dos conjuntos tinha de ser mais rigorosa. Os conjuntos, segundo Russell, deveriam ser somente coleções particulares capazes de atender a axiomas específicos (evitando, desse modo, que surjam as impossibilidades e as contradições do atual modelo). É por essa razão que toda teoria do conjunto desenvolvida antes de Russell é chamada de ingênua e todo estudo nesse campo realizado após a sua contribuição é conhecido como a teoria axiomática dos conjuntos.

FENOMENOLOGIA

O estudo da consciência

A fenomenologia, que é o estudo da consciência e da experiência pessoal, começou a se tornar um ramo importante da filosofia durante o século XX, particularmente divulgada por Heidegger e Sartre. No entanto, esses dois filósofos não teriam sido capazes de chegar tão longe como fizeram, se não fosse o trabalho de Edmund Husserl, o fundador da fenomenologia.

A ORIGEM DA FENOMENOLOGIA

O filósofo morávio Edmund Husserl começou sua carreira dedicando-se à filosofia da matemática. Embora de início considerasse que a aritmética seguia um empirismo rigoroso, com a ajuda de Gottlob Frege, ele concluiu que certas verdades aritméticas não podem ser explicadas pelo empirismo. Em seu livro *Investigações lógicas*, Husserl combate o "psicologismo", a ideia de que as verdades são dependentes da psicologia (mente) de um indivíduo e declara que as verdades não podem ser reduzidas pela mente humana. A partir disso, ele começa a desenvolver a fenomenologia.

De acordo com ele, a fenomenologia considera que a consciência tem intencionalidade, ou seja, que todos os atos da consciência são dirigidos para objetos, sejam eles materiais ou ideais (como a matemática). Os objetos intencionais e os atos intencionais são ambos definidos pela consciência. Para que alguém descreva o objeto e o conteúdo da consciência, também é necessário que o objeto realmente exista (possibilitando que uma pessoa descreva o que aconteceu em um sonho da mesma maneira que poderia descrever a cena de um livro).

Embora o trabalho inicial de Husserl contasse com uma abordagem realista (que acredita que, quando a consciência de alguém percebia um objeto isso significava que existiam ambos os objetos: o da consciência e aquele em si mesmo), posteriormente, ele deslocou seu foco para a intencionalidade e o estudo do ego. A posição de Husserl evoluiu na direção das ideias transcendentais, o que acabaria por reinventar o assunto que ele começara a estudar.

Em seu livro de 1931, *Ideias para uma fenomenologia pura*, ele distingue entre o ponto de vista natural de uma pessoa e o posto de vista fenomenológico. Em sua perspectiva natural, o indivíduo está consciente apenas dos objetos que estão factualmente presentes; na perspectiva fenomenológica, a pessoa ultrapassa os objetos externos e chega a compreender a consciência do objeto. Para alcançar o ponto de vista fenomenológico, o indivíduo deve eliminar diversas características de sua experiência, submetendo-se a uma série de reduções fenomenológicas.

Husserl criou várias reduções fenomenológicas; no entanto, entre as mais notáveis estão a epoché e a redução em si.

Epoché

Para Husserl, as pessoas tomam como garantidos diversos aspectos da vida (a linguagem, a cultura, a lei da gravidade, o próprio corpo etc.), e isso as mantém em uma espécie de cativeiro. A epoché, porém, é a redução fenomenológica, aquele momento em que a pessoa deixa de aceitar que esses aspectos sejam verdadeiros. O indivíduo conquista a autoconsciência ao parar de ver a si mesmo como parte das coisas que ele aceitava no mundo. Husserl refere-se a esse processo como "colocar o mundo entre parênteses". Isso não significa negar a existência do mundo — o inteiro propósito de colocar entre parênteses e da epoché é a abstenção de todas as crenças, então, a pessoa não pode nem confirmar nem negar a existência do mundo.

A redução em si

Enquanto a epoché é o método para alguém deixar de aceitar o que antes era aceito e se libertar do cativeiro do mundo aceito, a redução em si é o processo de reconhecimento da aceitação apenas como o que é: uma aceitação. É por ser capaz de ver uma aceitação como uma aceitação que a pessoa alcança o conhecimento transcendental.

Em conjunto, a epoché e a redução em si formam o processo da redução fenomenológica. Observe que a redução em si não ocorre independentemente da epoché e vice-versa.

O MÉTODO DA INVESTIGAÇÃO FENOMENOLÓGICA

De acordo com Husserl, o primeiro passo da investigação fenomenológica é a redução (pela epoché e pela redução em si). O ato de colocar entre parênteses tudo aquilo de que a pessoa tem consciência inclui todos os modos de consciência (imaginação, recordação, julgamento e intuição).

O passo seguinte é conhecido como redução eidética.[11] Não é suficiente simplesmente ter consciência. Em vez disso, a pessoa deve realizar os diversos atos

11 Eidético — segundo Husserl, refere-se à essência das coisas e não àquilo relacionado à existência ou à função do objeto. (N.T.)

de consciência possíveis até que suas essências mais próprias (as estruturas que não podem ser alteradas e são universais) sejam alcançadas. Uma espécie de intuição que pode ser utilizada para chegar a isso é chamada de *wesensschau*. Por meio dessa intuição, a pessoa cria múltiplas variações e foca aquela parte da multiplicidade que se mantém imutável. Essa é a essência; é a única parte que permanece idêntica ao longo de todas as variações.

O terceiro e último passo é chamado de redução transcendental. Para Husserl, o objetivo da fenomenologia é o retorno da pessoa ao seu ego transcendental (o ego que é necessário para que tenha uma autoconsciência completa, integrada e empírica) como alicerce para a criação de significado. Segundo ele, para alcançar o ego transcendental, deve haver uma reversão da consciência, e isso criará a percepção do tempo, que atua como autoconstitutivo.

Enquanto Husserl passou o resto da carreira tentando esclarecer a ideia da redução transcendental, a ideia por si só disseminava mais controvérsia. Como resultado, houve uma divisão na fenomenologia entre aqueles que acreditavam na redução transcendental e aqueles que se recusavam a acreditar nela.

FENOMENOLOGIA DAS ESSÊNCIAS

Em Munique, um grupo de alunos de Theodor Lipps (que criou o psicologismo) decidiu seguir o trabalho filosófico de Husserl e todos se juntaram a ele em Göttingen. Em 1913, porém, quando Husserl publicou seus pensamentos sobre a redução transcendental no livro *Ideias para uma fenomenologia pura*, o grupo passou a discordar radicalmente dele. Ao tomar essa atitude, criaram um novo tipo de fenomenologia, que ficou conhecido como a fenomenologia das essências, que toma por base a fenomenologia realista dos trabalhos iniciais de Husserl.

NOMINALISMO

A rejeição de certos elementos

Em filosofia, o nominalismo tem dois significados. A definição mais tradicional, surgida na Idade Média, envolve a rejeição dos universais, entidades que podem ser representadas por diferentes objetos. A segunda, mais moderna, rejeita os objetos abstratos, ou seja, aqueles objetos que não são temporais ou espaciais. Dessa forma, o nominalismo pode ser visto como uma oposição ao realismo (a crença de que os universais realmente existem) e ao platonismo (a crença de que os objetos abstratos realmente existem). É possível que uma pessoa acredite em um tipo de nominalismo e não no outro.

Os dois tipos de nominalismo lidam com o antirrealismo porque negam a existência dos universais ou dos objetos abstratos e, assim, também rejeitam a realidade dessas coisas. Ao lidar com coisas que são supostos objetos abstratos ou universais, o nominalismo assume duas abordagens:

1. O nominalismo nega que as supostas entidades existam.
2. O nominalismo aceita que as entidades existam, mas afirma que não são concretas ou particulares.

OBJETOS ABSTRATOS

Não existe uma definição estabelecida para o que é um objeto abstrato; no entanto, a explicação mais comum é a seguinte: "um objeto que não existe no espaço ou no tempo e que é causalmente inerte" (supõe-se que apenas objetos que existem no espaço e no tempo podem participar de relações causais). Essa definição, porém, não é isenta de falhas. Por exemplo, embora a linguagem e os jogos sejam abstratos, são também ambos temporais (pois a linguagem pode mudar, evoluir e ser outra em diferentes momentos). Apesar de os filósofos terem apresentado outras definições para os objetos abstratos, o nominalismo guia-se pela rejeição aos objetos espaçotemporais, que são inertes em relação à causação.

UNIVERSAIS

Os nominalistas distinguem os universais dos particulares. De acordo com a definição deles, os universais se referem a tudo que é instanciado (ou seja, representado por algo real) por múltiplas entidades. Se não for assim, então, é um particular. Os dois, um universal e um particular, podem instanciar uma entidade, mas somente um universal tem a capacidade de ser instanciado por múltiplas entidades. Por exemplo, os objetos que são vermelhos não podem ter uma instância, mas, com o universal "vermelhidão", qualquer objeto que seja vermelho é uma instância daquele universal. Os realistas consideram as propriedades (como vermelhidão), tipos (como o material, ouro) e as relações (como a intermediação) exemplos de universais. Já os nominalistas rejeitam a noção de universais.

TIPOS DE NOMINALISMO EM RELAÇÃO AOS UNIVERSAIS

Os seguidores do nominalismo acreditam que só existem os particulares. Para explicar a existência de relações ou propriedades, surgiram duas estratégias aceitas pela filosofia: a primeira é rejeitar a existência das entidades e a segunda é aceitar a existência dessas entidades, mas negar que sejam universais.

Teoria do tropo

Entre os argumentos mais antigos, um dos mais populares é a teoria do tropo. Seus seguidores acreditam na existência das propriedades (aceitando, assim, a existência da entidade), que consideram específicas e denominam de "tropos". Esses filósofos acham que esses tropos são particulares da mesma forma que um pêssego ou uma banana individualmente é seu próprio particular. Dessa forma, a "amarelidão" de uma banana não é considerada um universal, mas é uma "amarelidão" específica ou particular que só pertence àquela banana. A banana possui essa "amarelidão", o que a torna um tropo, porque a amarelidão não é resultado de um universal sendo instanciado.

Nominalismo conceitual e nominalismo predicativo

Outros dois tipos de nominalismo são o conceitual (também chamado de conceitualismo) e o predicativo. O conceitualismo afirma que a "amarelidão" não existe e que uma entidade, como a banana, é amarela simplesmente porque isso está em linha com o conceito de "amarelo". De maneira similar, no predicativo, a banana é amarela como resultado de um predicado "amarelo" ter sido aplicado a ela. Assim, não existe a "amarelidão", somente a aplicação do predicado amarelo.

Nominalismo mereológico e nominalismo de classes

No nominalismo mereológico, a propriedade de ser amarelo é o total de todas as entidades amarelas. Dessa forma, uma entidade é amarela porque é parte do grupo das coisas que são amarelas. De modo similar, o nominalismo de classes afirma que as propriedades são consideradas classes. Portanto, a classe de todas as coisas amarelas e somente as coisas amarelas são a propriedade de ser amarelo.

Nominalismo de semelhança

Essa teoria afirma que as coisas amarelas não são semelhantes umas com as outras porque são amarelas; em vez disso, ser semelhantes umas às outras as torna amarelas. De acordo com o nominalismo de semelhança, uma banana é considerada amarela porque é semelhante a outras coisas que são amarelas. Assim, as condições de semelhança definidas são atendidas por todos os membros de uma classe específica.

TIPOS DE NOMINALISMO EM RELAÇÃO AOS OBJETOS ABSTRATOS

O nominalismo em relação aos objetos abstratos divide-se em dois: o nominalismo de proposições e o nominalismo de mundos possíveis.

Nominalismo de proposições

No nominalismo de proposições, as entidades subdividem-se em duas categorias: desestruturadas e estruturadas. As proposições desestruturadas são conjuntos de mundos possíveis. Dentro desses mundos, as funções têm o valor de Verdadeiro (que demonstra que a proposição seja verdadeira) e o valor de Falso (que demonstra que a proposição seja Falsa).

Uma teoria do nominalismo de proposições afirma que os papéis vinculados às proposições são, de fato, desempenhados pelos objetos que são concretos. Uma ideia relacionada a isso é a noção de que as sentenças assumem o papel das proposições. O filósofo Willard van Orman Quine declarou que as "sentenças eternas" (sentenças que têm um constante valor de verdade ao longo do tempo) são melhores portadores de verdade porque independem de lugar, tempo, falante etc. Isso, porém, causa um problema aos nominalistas porque a simples ideia de uma sentença eterna é um objeto abstrato.

Ficcionalismo semântico

Outra opção do nominalismo de proposições é negar a existência das proposições e de todas as entidades que tenham papéis teóricos. Se for esse o caso, as sentenças que envolvem a existência de proposições que pareçam ser verdadeiras devem ser realmente falsas. Até se uma sentença for falsa porque não há proposições, no entanto, pode ser usada como ajuda descritiva. Essa ajuda descritiva possibilita que a pessoa esclareça o que quer dizer e viabiliza a representação de partes da estrutura do mundo.

Nominalismo dos mundos possíveis

A teoria dos mundos possíveis é uma ideia filosófica muito debatida que proclama a existência de outras realidades, alegando que este mundo é apenas uma das muitas possibilidades de mundos. Um nominalista pode assumir que não existem mundos possíveis ou que os mundos possíveis não são um objeto abstrato.

Uma abordagem nominalista é acreditar que não existem mundos possíveis e que só existe o mundo possível real. Um indivíduo pode pensar no mundo possível real como a soma dos objetos espaçotemporais que se relacionam uns com os outros e são, na verdade, a soma dos objetos concretos.

Outra perspectiva nominalista é olhar para o mundo possível viabilizado por uma combinação de elementos (universais e particulares). De acordo com essa teoria, um estado de coisas que tem um universal como propriedade consiste em um particular e um universal reunidos; e um estado de coisas que consiste em um universal como relação é quando um universal e alguns particulares são reunidos. Há uma ampla gama de possíveis combinações de particulares e universais e o resultado é que algumas são realizadas e outras não.

GOTTFRIED WILHELM LEIBNIZ (1646-1716)

O filósofo otimista

Gottfried Wilhelm Leibniz foi um dos mais importantes filósofos do movimento racionalista do século XVII. Além de seu trabalho racionalista, ele era muito versátil e viabilizou grandes avanços em temas como lógica, física e matemática (ele inventou o cálculo independentemente de Newton e descobriu o sistema binário).

Nascido em 1º de julho de 1646, na cidade alemã de Leipzig, seu pai era professor de filosofia moral na universidade local. Quando ele tinha apenas 6 anos, o pai morreu e deixou sua biblioteca pessoal para o pequeno Leibniz, que recebeu educação moral e religiosa da mãe.

Leibniz era uma criança excepcionalmente talentosa. Com 12 anos já aprendera latim como autodidata e estava começando a estudar grego. Apenas dois anos depois, inscreveu-se na Universidade de Leipzig e teve aulas de filosofia aristotélica, direito, lógica e filosofia escolástica. Aos 20 anos, publicou seu primeiro trabalho sobre arte combinatória, no qual afirmava que as combinações de elementos básicos, como sons, cores, letras e números, eram a fonte de todas as descobertas e do raciocínio.

Depois de se graduar em outra faculdade, obtendo o diploma de direito, em vez de continuar buscando a formação acadêmica, ele se tornou um prestador de serviços para a nobreza. Ele desempenhava muitas funções nessa posição, incluindo a de conselheiro legal e a de historiador oficial e também era chamado a viajar intensamente pela Europa. Durante suas viagens, Leibniz encontrou-se com vários dos mais importantes intelectuais europeus, enquanto continuava a trabalhar em seus próprios problemas matemáticos e metafísicos. Os pensadores que o influenciaram nesse período foram o filósofo Baruch Espinosa e o matemático, astrônomo e físico Christiaan Huygens.

Todo o trabalho de Leibniz, desde as suas inúmeras contribuições à matemática até a sua vasta e rica filosofia, compartilhavam a ênfase na verdade. Tinha esperança de que, enfatizando a verdade em seu trabalho, ele fosse capaz de lançar uma fundação que pudesse reunir a Igreja dividida.

OS PRINCÍPIOS DA FILOSOFIA DE LEIBNIZ

Existem sete princípios fundamentais para a compreensão da razão por Leibniz:

1. **Identidade/contradição:** se uma proposição é verdadeira, sua negativa tem de ser falsa e vice-versa.
2. **Razão suficiente:** para que algo exista, um evento ocorra ou alguma verdade seja alcançada, deve haver razão suficiente (embora, às vezes, a razão seja conhecida apenas por Deus).
3. **Identidade dos indiscerníveis (a lei de Leibniz):** duas coisas que são distintas uma da outra não podem ter em comum todas as mesmas propriedades. Se todos os predicados possuídos por X também forem iguais aos de Y, e todos os predicados possuídos por Y forem iguais aos de X, então, X e Y são idênticos. Afirmar que duas coisas são indiscerníveis é supor dois nomes para a mesma coisa.
4. **Otimismo:** Deus sempre escolhe o melhor.
5. **Harmonia preestabelecida:** as substâncias só podem afetar a si mesmas; no entanto, todas as substâncias (sejam elas da mente sejam do corpo) interagem causalmente umas com as outras. Isso é o resultado de antes Deus haver programado todas as substâncias para se harmonizarem.
6. **Plenitude:** o melhor de cada mundo possível tornaria toda possibilidade genuína uma realidade.
7. **Lei da continuidade:** em sua lei da continuidade, Leibniz afirma que "a natureza não dá saltos". Segundo ele, as mudanças ocorrem por mudanças intermediárias e o infinito está nas coisas. A lei da continuidade é usada para provar que nenhum movimento deriva do completo descanso; as percepções derivam de outros graus de percepções que são muito pequenos para ser observados.

TEORIA DAS MÔNADAS

Rejeitando a teoria de Descartes de que a matéria, que tem uma essência da extensão (ou seja, existe em mais de uma dimensão), é considerada uma substância, Leibniz criou sua teoria das mônadas, que se tornou uma de suas maiores contribuições à metafísica. Ele afirmava que somente os seres que eram capazes de ação e tinham uma verdadeira unidade podiam ser considerados uma substância. De acordo com Leibniz, as mônadas eram os elementos que formavam o universo. Eram partículas individuais, eternas, que não interagiam entre si, regidas pelas próprias leis e tinham uma harmonia preestabelecida que se refletia em todo o universo. Essas partículas eram as únicas verdadeiras substâncias porque tinham unidade e eram capazes de ação.

As mônadas não são como os átomos. Elas não têm caráter espacial nem temporal e são independentes umas das outras. As mônadas "sabem" o que devem fazer a cada momento porque são reprogramadas com instruções individuais (pela lei da harmonia preestabelecida). Também podem variar de tamanho, diferentemente dos átomos. Por exemplo, cada pessoa individualmente pode ser vista como uma mônada individual (o que cria um argumento contra o livre-arbítrio).

As mônadas libertam-se do dualismo encontrado no trabalho de Descartes e conduzem à teoria do idealismo de Leibniz. As mônadas são formas de ser, significando que somente elas são consideradas entidades mentais e substâncias. Portanto, coisas como a matéria, o espaço e o movimento são apenas fenômenos resultantes das substâncias.

OTIMISMO

Em seu livro de 1710, *Ensaios de teodiceia sobre a bondade de Deus*, Leibniz tentou unir a religião e a filosofia. Acreditando que Deus, todo-poderoso e onisciente, jamais criaria um mundo que fosse imperfeito se existisse a possibilidade de fazer um melhor, Leibniz concluiu que este tem de ser o melhor e mais equilibrado mundo possível. Dessa forma, de acordo com ele, as falhas deste mundo existiriam em todos os mundos possíveis. Do contrário, essas falhas não teriam sido incluídas neste mundo por Deus.

Leibniz considerava que a filosofia não tinha o propósito de contradizer a teologia porque a razão e a fé eram dádivas de Deus. Assim, se alguma parte da fé não pudesse ser apoiada pela razão, então, teria de ser rejeitada. Com isso em mente, ele enfrentou uma das críticas centrais ao cristianismo: se Deus é todo-poderoso, todo sabedoria e todo bondade, como o mal pode ocorrer? Leibniz sustenta que Deus é todo-poderoso, todo sabedoria e todo bondade; porém, os seres humanos são uma criação divina e, como tal, têm sabedoria e poder de ação limitados. Como os humanos são criações que têm livre-arbítrio, são predispostos a ações ineficientes, decisões erradas e falsas crenças. Deus permite que a dor, o sofrimento (conhecidos como males físicos) e o pecado (conhecido por mal moral) existam porque são consequências necessárias à imperfeição (conhecida como mal metafísico). Dessa forma, os humanos podem comparar a própria imperfeição com a verdadeira bondade e corrigir suas decisões.

ÉTICA

Definindo o que é certo e o que é errado

A ética, também conhecida como filosofia moral, envolve a compreensão do que faz uma pessoa agir de maneira correta ou de maneira errada. A ética, porém, é bem mais abrangente do que a moralidade. Enquanto a moralidade lida com os códigos morais e as práticas específicas de alguns atos, a ética não apenas abrange todos os comportamentos e as teorias morais, mas também a filosofia de vida de uma pessoa. A ética trata de questões referentes a como um indivíduo deve agir, se o que ele pensa está correto, como usa e pratica seu conhecimento moral e em todos os significados de "certo".

ÉTICA NORMATIVA

A ética normativa tenta entender o comportamento ético criando um conjunto de regras (ou normas) para governar as ações e a conduta humanas. A ética normativa olha como as coisas deveriam ser, como alguém valoriza as coisas, que ações estão certas *versus* as ações que estão erradas e que coisas são boas e que coisas são más.

A seguir, estão três tipos de teorias em ética normativa.

Consequencialismo

A moralidade de uma ação está baseada em seus resultados. Se houver um bom resultado, a ação é considerada moralmente correta; se o resultado for ruim, então, a ação está moralmente errada. No consequencialismo, os filósofos analisam o que torna uma consequência positiva, como alguém pode avaliar uma consequência, quem deveria fazer essa avaliação e quem ganha mais com uma ação moral. Os exemplos de consequencialismo incluem o hedonismo, o utilitarismo e o egoísmo.

Deontologia

Em vez de verificar as consequências de uma ação, a deontologia verifica como as ações em si mesmas podem ser certas ou erradas. Os seguidores da deontologia afirmam que, ao tomar decisões, a pessoa deve considerar fatores como os direitos dos outros e suas próprias obrigações. Os tipos de deontologia incluem: as teorias do direito natural de John Locke e Thomas Hobbes, que declararam que os seres humanos têm direitos naturais e universais; a teoria do comando divino, que afirma que Deus dirige as ações moralmente corretas e que elas são certas quando realizadas como dever ou obrigação; e, por fim, o imperativo categórico de Immanuel Kant, que argumentava que o indivíduo deveria agir com base em seu dever e que as ações estavam certas ou erradas de acordo com as motivações e não com as consequências. De acordo com o imperativo categórico de Kant, uma pessoa deveria pensar em suas ações (e, portanto, agir) como se o princípio da motivação fosse uma lei universal.

Ética da virtude

Na ética da virtude, os filósofos analisam o caráter inerente do indivíduo, buscando aqueles comportamentos e hábitos que possibilitam que a pessoa tenha uma boa vida ou atinja um estado de bem-estar. Também oferece orientação para solucionar os conflitos entre as virtudes e afirma que, para atingir uma boa vida, o indivíduo deve sempre praticar essas virtudes. Os exemplos de ética das virtudes incluem o eudemonismo, criado por Aristóteles, que afirma que uma ação é considerada correta quando leva ao bem-estar e pode ser alcançada com a prática diária das virtudes; as teorias baseadas em agentes que declaram que a virtude é fruto de intuições do bom senso em relação aos traços de caráter que podem ser identificados ao examinar aquelas pessoas que admiramos; e a ética do cuidado, que considera que a moralidade e as virtudes são aquelas exemplificadas pelas mulheres (como a habilidade de nutrir, ter paciência e cuidar dos outros).

METAÉTICA

A metaética examina os julgamentos éticos e tenta compreender especificamente as afirmações, as atitudes, as avaliações e as propriedades do que é ético. A metaética, portanto, não se refere à avaliação se determinada escolha do indivíduo é boa ou ruim. Em vez disso, examina a natureza e o significado da questão. Existem dois tipos de perspectivas metaéticas: o realismo moral e o antirrealismo moral.

Realismo moral

O realismo moral é a crença de que existem valores morais objetivos. Assim, de acordo com essa perspectiva metaética, as afirmações de avaliação são, na verdade, declarações factuais — se o fato de essas declarações serem falsas ou verdadeiras independe das crenças e dos sentimentos da pessoa. É conhecida como a perspectiva cognitivista, quando as proposições válidas são transmitidas como sentenças éticas, que podem tanto ser falsas quanto verdadeiras. Os exemplos de realismo moral incluem:

- Ética naturalista: a crença de que nós temos conhecimento empírico das propriedades morais objetivas (no entanto, podem ser reduzidas a propriedades não éticas e, assim, as propriedades éticas podem ser reduzidas a propriedades naturais).
- Ética não naturalista: a crença de que as declarações éticas representam proposições que são impossíveis de deduzir em afirmações não éticas.

Antirrealismo moral

De acordo com o antirrealismo moral, não existem os valores morais objetivos. Existem três tipos de teorias nessa linha:

1. Subjetivismo ético (baseado na noção de que as afirmações éticas são realmente questões subjetivas).
2. Não cognitivismo (a noção de que as afirmações éticas não são declarações genuínas).
3. A ideia de que as afirmações éticas são declarações objetivas equivocadas (o que é expresso pelo ceticismo moral, a crença de que ninguém pode ter conhecimento moral ou niilismo moral, a crença de que as afirmações éticas são em geral falsas).

ÉTICA DESCRITIVA

A ética descritiva é livre de qualquer valor e olha para a ética pela observação das escolhas reais que foram realizadas. É feita uma comparação entre as crenças morais da pessoa para verificar se as teorias de conduta e seus valores são reais. O propósito da ética descritiva não é verificar se e quanto uma norma moral é razoável nem oferecer nenhum tipo de orientação de conduta. Em vez disso, compara o sistema ético do grupo (como os de diferentes sociedades, do passado e do presente etc.) com as regras de conduta de uma pessoa e suas ações reais para verificar se estão de acordo, ou não, com o que ela diz acreditar. É por essa razão que frequentemente a ética descritiva é aplicada por antropólogos, historiadores e psicólogos.

ÉTICA APLICADA

A ética aplicada busca trazer a teoria para situações da vida real e, com frequência, é utilizada na criação de políticas públicas. Falando de modo geral, as abordagens filosóficas muito rigorosas e baseadas em princípios são adequadas para resolver problemas particulares, mas não podem ser aplicadas universalmente — o que, às vezes, torna impossível obter resultados. A ética aplicada pode ser empregada para explorar questões como o que são os direitos humanos; se os abortos são morais ou não; quais são os direitos dos animais etc. Existem muitos tipos de ética aplicada, incluindo na área médica (como os julgamentos morais e os valores se aplicam na medicina), legal (relacionada àqueles que praticam as leis) e nos meios de comunicação (as questões éticas relativas ao entretenimento, jornalismo e marketing).

FILOSOFIA DA CIÊNCIA

O que é a ciência?

Ao discutir a filosofia da ciência, em geral, os filósofos concentram a atenção nas ciências naturais, como a biologia, a química, a astronomia, a física e as geociências e examinam as implicações, os pressupostos e os fundamentos que resultam disso. De modo geral, os critérios para a ciência são:

1. A criação de hipóteses que devem atender aos critérios lógicos da contingência (falando em termos lógicos, elas não são necessariamente verdadeiras ou falsas), de falseabilidade ou refutabilidade (ou seja, podem ser comprovadas como falsas) e o de testabilidade (quer dizer que existem chances reais de as hipóteses serem estabelecidas como verdadeiras ou como falsas).
2. Uma consistente evidência empírica.
3. Uso do método científico.

A DEMARCAÇÃO DO PROBLEMA

De acordo com o filósofo Karl Popper, a questão central da filosofia da ciência é conhecida como a demarcação do problema. De forma simples: a demarcação do problema é como alguém pode distinguir entre ciência e não ciência (essa questão também lida com a pseudociência em particular). Até hoje, não existe ainda uma forma aceita universalmente de demarcação do problema e alguns até consideram que isso seja insignificante ou insolúvel. Enquanto os positivistas lógicos, que combinam o empirismo e a lógica, tentam embasar a ciência na observação e afirmam que tudo o que não é observável não é ciência (e não tem significado), Popper declara que a principal propriedade da ciência é a falseabilidade.

Definições filosóficas

FALSEABILIDADE: para que uma hipótese possa ser aceita como verdadeira, e antes que qualquer hipótese possa ser aceita como teoria científica ou hipótese científica, ela tem de ser refutável (ou falseável).

Em outras palavras, para Popper, toda afirmação científica deve poder ser comprovada como falsa. Se, após amplo esforço, nenhuma prova puder ser encontrada, então, isso significa que a afirmação é provavelmente verdadeira.

A VALIDADE DO RACIOCÍNIO CIENTÍFICO

O raciocínio científico pode ser fundamentado em diferentes maneiras para demonstrar que uma teoria é válida.

Indução

Pode ser difícil para um cientista afirmar que uma lei é universalmente verdadeira porque, até mesmo se todos os testes apresentarem os mesmos resultados, isso não significa necessariamente que os testes realizados no futuro também terão os mesmos resultados. É por esse motivo que os cientistas usam a indução. De acordo com o raciocínio indutivo, se uma situação se mantém verdadeira em cada caso observado, então, isso vai se manter verdadeiro para todos os casos.

Verificação empírica

As afirmações científicas precisam de evidências para sustentar teorias ou modelos. Assim, as predições que as teorias científicas e os modelos podem fazer devem estar em acordo com a evidência que já foi observada (e, em última análise, as observações resultam de nossos sentidos). Outros devem estar de acordo com a forma de realizar as observações, que devem ser repetíveis. E, por sua vez, as predições precisam ser específicas para que um cientista possa falsear (refutar) a teoria ou modelo (o que implica as predições) com uma observação.

A tese de Duhem-Quine e a navalha de Occam

A tese de Duhem-Quine afirma que não é possível testar uma teoria ou hipótese em completo isolamento porque, para que alguém teste empiricamente uma hipótese, o indivíduo tem de envolver outros pressupostos básicos. Como resultado dessa tese, está a noção de que qualquer teoria pode vir a ser compatível com informações empíricas se forem incluídas hipóteses *ad hoc* o suficiente. É por essa razão que a navalha de Occam (a noção de que as explicações mais simples devem ser escolhidas entre teorias concorrentes) é usada em ciência. Concordando com a tese de Duhem-Quine, Karl Popper deslocou-se da falsificação ingênua em favor do conceito de que as teorias científicas devem ser falseáveis, isto é, se uma hipótese não pode gerar predições testáveis, não é considerada ciência.

SUBORDINAÇÃO TEÓRICA

As observações básicas podem ser interpretadas de acordo com diferentes teorias. Por exemplo, embora seja um conhecimento corriqueiro hoje de que a Terra rota em torno do Sol, há séculos os cientistas acreditavam que o Sol se movia e a Terra ficava parada. Dessa forma, quando uma observação (o que envolve cognição e percepção) é interpretada por uma teoria, isso é chamado de subordinação teórica.[12] De acordo com o físico e filósofo Thomas Kuhn, é impossível isolar a hipótese da influência da teoria (que é apoiada na observação). Kuhn afirma que novos paradigmas (com base nas observações) são escolhidos para substituir os antigos, quando conseguem explicar melhor os problemas científicos.

COERENTISMO

De acordo com o coerentismo, as teorias e as afirmações podem ser justificadas como resultado de serem parte de um sistema coerente, que pode pertencer às crenças individuais de um cientista ou de uma comunidade científica.

PSEUDOCIÊNCIA

A pseudociência refere-se às teorias e às doutrinas que falham em seguir o método científico. Essencialmente, a pseudociência é não ciência que posa de ciência. Embora teorias como design inteligente, homeopatia e astrologia possam servir a outros propósitos, não podem ser consideradas ciência de verdade porque não podem ser refutadas (falseadas) e seus métodos conflitam com resultados aceitos em geral. As disciplinas usadas para a investigação científica simplesmente não se aplicam a esses tipos de teorias. Isso não quer dizer, no entanto, que toda não ciência seja considerada pseudociência. A religião e a metafísica são dois exemplos de fenômenos não científicos.

---

12 Por isso, as observações e as percepções não são consideradas imparciais ou neutras, como explicado no capítulo "Relativismo — O ser em relação a algo mais" deste mesmo livro. (N.T.)

BARUCH ESPINOSA (1632-1677)

O filósofo naturalista

Baruch Espinosa, considerado um dos maiores filósofos racionalistas do século XVII, nasceu em 24 de novembro de 1632, na comunidade judaico-portuguesa de Amsterdã. Era um estudante incrivelmente talentoso e acredita-se que a congregação estava preparando o garoto para se tornar rabino. Com 17 anos, porém, Espinosa teve de parar de trabalhar para ajudar a família a cuidar dos negócios. Em 27 de julho de 1656, foi expulso da comunidade sefaradita de Amsterdã por razões até hoje desconhecidas (embora se acredite que a expulsão tenha sido uma resposta a seus pensamentos iniciais, que viriam definir sua filosofia).

A filosofia de Espinosa era notadamente radical e ele tinha uma perspectiva muito naturalista sobre a moralidade, Deus e os seres humanos. Negava que a alma fosse imortal e rejeitava a ideia de que Deus era providencial. Em vez disso, argumentava que as leis não foram dadas por Deus e que os judeus não precisavam mais obedecê-las.

Em 1661, Espinosa havia perdido toda a fé e o compromisso religioso e não vivia mais em Amsterdã. Enquanto morou em Rijnsburg, escreveu diversos tratados, no entanto, somente em 1663 seu trabalho sobre os *Princípios da filosofia* de Descartes foi publicado com seu nome enquanto viveu. Naquele mesmo ano, Espinosa começou a escrever sua obra filosófica mais profunda, *Ética*, porém deteve o trabalho para se dedicar ao controverso livro *Theological-Political Treatise*, ou *Tratado teológico-político*, que foi publicado anonimamente em 1670. A controvérsia alcançada pela obra fez com que Espinosa decidisse não publicar mais seus trabalhos. Em 1676, ele conheceu Leibniz com quem discutiu seu texto *Ética*, que havia concluído recentemente, mas não ousava publicar. Após sua morte em 1677, os amigos publicaram suas obras, mas os livros foram banidos de toda a Holanda.

TRATADO TEOLÓGICO-POLÍTICO

Em seu livro mais controverso, *Tratado teológico-político*, Baruch Espinosa tentou mostrar a verdade por trás da religião e das escrituras e enfraquecer o poder político que as autoridades religiosas tinham sobre o povo.

A visão de Espinosa sobre a religião

Espinosa criticava não apenas o judaísmo, mas todas as religiões organizadas e afirmava que a filosofia devia ser separada da teologia, especialmente no que se referia à leitura das escrituras. O propósito da teologia, de acordo com ele, é manter a obediência, enquanto o propósito da filosofia é entender a verdade racional.

Para Espinosa, "Amai ao próximo" era a única mensagem de Deus, e a religião se transformara em uma superstição em que as palavras colocadas em uma página significavam mais do que elas representavam. Afirmava que a Bíblia não era uma criação divina, mas que deveríamos olhar para ela como qualquer outro texto histórico, pois, como fora escrito ao longo de muitos séculos, ele acreditava que não era confiável. Os milagres, segundo Espinosa, não existiam e tudo tinha uma explicação natural; porém, as pessoas escolhem não procurar essas explicações. Além disso, dizia que as profecias não vinham de Deus e que não eram um conhecimento privilegiado.

Para demonstrar respeito a Deus, segundo ele, a Bíblia deveria ser reexaminada para que se encontrasse nela a "verdadeira religião". Ele rejeitava a ideia de "povo eleito" do judaísmo, argumentava que as pessoas estão todas no mesmo nível e propunha a existência de uma religião nacional. Então, revelava sua agenda política, declarando que a forma ideal de governo era a democracia, porque assim haveria menos abuso de poder.

A *ÉTICA* DE ESPINOSA

Em seu trabalho mais extenso e significativo, *Ética*, Baruch Espinosa assume suas ideias tradicionais sobre Deus, religião e a natureza humana.

Deus e a natureza

Em seu livro *Tratado teológico-político*, Espinosa começa a descrever suas crenças de que Deus é a natureza e a natureza é Deus e que é incorreto supor que Deus tenha características humanas. Em *Ética*, ele aprofunda seus pensamentos, afirmando que tudo o que existe no universo é parte da natureza (e, assim, de Deus) e que todas as coisas da natureza seguem leis básicas idênticas. Ele assume uma abordagem naturalista (que era bastante radical para a época) e declara que os seres humanos podem ser compreendidos e explicados da mesma maneira que tudo mais na natureza — o homem não é diferente do mundo natural.

Espinosa rejeitava a ideia de que Deus criou o mundo a partir do nada em determinado tempo. Em vez disso, afirmava que nosso sistema de realidade podia ser considerado seu próprio fundamento e que não existiam elementos sobrenaturais, apenas a natureza e Deus.

O humano

Na segunda parte do livro *Ética*, o foco recai sobre a natureza e a origem dos seres humanos. Para Epinosa, havia dois atributos divinos que os humanos tinham consciência de possuir: o pensamento e a extensão. Os modos do pensamento incluíam as ideias, enquanto os modos de extensão incluíam os corpos físicos, que atuavam como essências separadas. Os eventos físicos eram o resultado de uma série de causas corporais determinadas somente pelas leis correspondentes à extensão; enquanto as ideias eram fruto somente de outras ideias e seguiam o próprio conjunto de leis. Desse modo, não havia nenhum tipo de interação causal entre o mental e o físico; porém, os dois aspectos eram correlatos e paralelos um ao outro. Assim, para cada modo de extensão havia um correspondente modo de pensamento.

Como o pensamento e a extensão eram atributos divinos, representavam duas maneiras para que uma pessoa compreenda a natureza e Deus. Ao contrário do dualismo de Descartes, a teoria de Espinosa não afirmava a existência de duas substâncias separadas. Em vez disso, pensamento e extensão eram duas expressões de uma única coisa: um ser humano.

Conhecimento

Espinosa propunha que, como Deus, a mente humana tinha ideias. Baseadas em percepções, sentidos e informações qualitativas (como dor e prazer), essas ideias não faziam uma pessoa conquistar conhecimento real ou adequado sobre o mundo porque eram obtidas pela ordem natural. O método da percepção é descrito por ele como uma infindável fonte de erros à qual se referia como "conhecimento a partir de experiência aleatória".

De acordo com Espinosa, o segundo tipo de conhecimento é a razão. Quando uma pessoa tem uma ideia adequada, ela a conquista de modo organizado e racional e esse pensamento tem uma compreensão real da essência das coisas. Uma ideia adequada é capaz de abranger todas as conexões causais e demonstrar que aquilo é de determinada maneira, por que é de determinada maneira e como é essa determinada maneira de aquilo ser. Um indivíduo nunca poderá ter uma ideia adequada somente pela experiência sensorial.

Essa noção da ideia adequada mostra grande otimismo nas capacidades humanas, ao contrário de outros filósofos vistos anteriormente por nós. Segundo

Espinosa, os seres humanos têm a capacidade de saber tudo o que há para saber sobre a natureza e, assim, saber tudo o que há para saber sobre Deus.

Ações e paixões

Espinosa levou longe seu raciocínio para provar que os humanos são parte da natureza. Isso, no entanto, implicava que os seres humanos não têm liberdade, pois a mente e as ideias são resultado de uma série causal de ideias que segue o pensamento (que é um atributo de Deus) e as ações são causadas por eventos naturais.

Ele dividia os afetos (emoções como raiva, amor, orgulho, inveja, que também seguem a natureza) em paixões e ações. Quando um evento é causado como resultado de nossa natureza (como o conhecimento ou as ideias adequadas), então, a mente está atuando. Quando um evento dentro de nós ocorre como resultado de algo externo à nossa natureza, então, somos atuados e passivos. Independentemente de estarmos atuando ou sendo atuados, uma mudança ocorre em nossas capacidades mentais ou físicas. Segundo ele, todos os seres têm uma essência determinada a perseverar e o afeto é uma mudança nessa força.

Para Espinosa, o ser humano deveria se esforçar para se libertar das paixões e se tornar ativo. No entanto, como se libertar inteiramente das paixões não é possível, cada pessoa deve tentar limitar e moderá-las. Ao se tornar ativo limitando as paixões, o humano se torna "livre" no sentido de que o que quer que aconteça será resultado da própria natureza da pessoa e não causado por forças externas. Esse processo também livra o ser humano dos altos e baixos da vida. Para ele, os seres humanos precisam libertar-se da confiança depositada na imaginação e nos sentidos. As paixões demonstram como as coisas externas podem afetar nossas forças.

Virtude e felicidade

No livro *Ética*, Espinosa argumentou que os humanos deveriam controlar os julgamentos e tentar minimizar a influência das paixões e das coisas externas. Isso é alcançado pela virtude, a qual descrevia como a busca e a compreensão das ideias adequadas e do conhecimento. No final, isso significa o esforço para conhecer Deus (o terceiro tipo de conhecimento). O conhecimento de Deus cria um amor pelos objetos que não é uma paixão, mas uma bênção. Isso é a compreensão do universo, assim como a virtude e a felicidade.

FILOSOFIA DA RELIGIÃO

Compreendendo os conceitos da tradição

O estudo filosófico da religião lida com as noções de milagres, preces, a natureza da existência de Deus, como os sistemas de valores se relacionam uns com os outros e a questão do mal. A filosofia da religião não é o mesmo que a teologia, pois não pretende responder à pergunta: "O que é Deus?", mas aborda os temas e os conceitos relacionados às tradições religiosas.

LINGUAGEM RELIGIOSA

A linguagem da religião é frequentemente vista como misteriosa, imprecisa e vaga. No século XX, os filósofos começaram a questionar o padrão da linguagem religiosa, rejeitando qualquer afirmativa que não fosse empírica por considerá-la sem significado. Essa escola de pensamento ficou conhecida como positivismo lógico.

De acordo com os filósofos seguidores dessa escola, somente as assertivas que contêm inferências empíricas ou derivadas da matemática e da lógica poderiam ser consideradas com significado. Isso quer dizer que muitas das afirmações religiosas, até mesmo aquelas pertencentes a Deus (como "O Senhor é um Deus compassivo e misericordioso"), não podiam ser verificadas e, portanto, não tinham sentido.

Na segunda metade do século XX, enquanto muitos filósofos começaram a julgar problemáticas algumas posições dessa teoria, e os estudos de linguagem de Ludwig Wittgenstein e o trabalho naturalista de Willard van Orman Quine tornaram-se mais populares, o positivismo lógico entrou em declínio. Por volta de 1970, essa escola de pensamento tinha praticamente desaparecido, abrindo as portas para novas teorias e interpretações da linguagem religiosa.

Depois do positivismo lógico, houve duas escolas de pensamento no campo da linguagem religiosa: o realismo e o antirrealismo. Os seguidores do realismo acreditam que a linguagem corresponde àquilo que realmente acontece; enquanto os antirrealistas consideram que a linguagem não corresponde à realidade (em vez disso, a linguagem religiosa refere-se aos comportamentos e às experiências humanas).

O PROBLEMA DO MAL

O argumento mais significativo contra o teísmo é conhecido como "o problema do mal", que pode ser colocado de várias maneiras diferentes:

O problema lógico do mal

Primeiramente identificado por Epicuro, o problema lógico do mal talvez seja a mais poderosa objeção à existência de Deus. De acordo com Epicuro, existem quatro possibilidades:

1. Se Deus deseja prevenir o mal e não é capaz, então, Deus é fraco.
2. Se Deus é capaz de se livrar do mal, mas não quer, então, Deus é malévolo.
3. Se Deus não deseja se livrar do mal e não é capaz de prevenir o mal, então, Deus é malévolo e fraco e, então, não é Deus.
4. Se Deus deseja se livrar do mal e é capaz de evitar o mal, então, por que o mal existe no mundo e por que Deus não se livra dele?

São Tomás de Aquino respondeu ao problema lógico do mal, afirmando não estar claro se a ausência do mal tornaria o mundo um lugar melhor, pois sem o mal, a gentileza, a justiça, a igualdade e o autossacrifício não teriam sentido. Outro argumento contra o problema lógico do mal, conhecido como "defesa do propósito desconhecido", afirma que, como Deus jamais será verdadeiramente conhecido, os homens têm limitações ao tentar compreender as motivações divinas.

O problema empírico do mal

Criado por David Hume, o problema empírico do mal declara que, se uma pessoa não fosse exposta previamente aos compromissos das convicções religiosas, sua experiência do mal no mundo a levaria a adotar o ateísmo, e a noção de que Deus é a bondade onipotente não existiria.

O argumento probabilístico do mal

É o argumento de que a simples existência do mal é prova de que não há Deus.

TEODICEIA

A teodiceia é um ramo da filosofia que tenta reconciliar a crença em um Deus benevolente, onisciente e onipotente com a existência do mal e do sofrimento. A teodiceia aceita que o mal existe e que Deus é capaz de acabar com ele e busca compreender por que não o faz. Uma das teorias mais bem conhecidas de teodiceia é a de Leibniz, que afirma que, como este mundo foi criado por Deus, que é perfeito, então, este mundo é o melhor e mais equilibrado mundo possível entre todos os outros mundos possíveis.

ARGUMENTOS A FAVOR DA EXISTÊNCIA DE DEUS

Existem três tipos de argumentos favoráveis à existência de Deus: ontológico, cosmológico e teleológico.

Argumentos ontológicos

Os argumentos ontológicos usam um raciocínio abstrato *a priori* para afirmar que o conceito de Deus e a capacidade de falar em Deus implicam a existência de Deus. Quando falamos sobre Deus, nós nos referimos a um ser perfeito; nada é melhor. Uma vez que seria melhor termos um Deus que existe do que um Deus que não existe e nos referimos a Ele como um ser perfeito, nós implicamos a existência de Deus.

Os argumentos ontológicos são falhos porque podem ser usados para demonstrar a existência de qualquer coisa perfeita. De acordo com Kant, a existência é uma propriedade dos conceitos e não dos objetos.

Argumentos cosmológicos

Os argumentos cosmológicos afirmam que, como o mundo e o universo existem, isso implica que foram trazidos e são mantidos na existência por um ser. É preciso que haja um "primeiro motor", que é Deus, porque um infinito retrocesso simplesmente não é possível. Existem dois tipos de argumentos cosmológicos:

1. Modal: afirma que o universo poderia não ter existido e, dessa forma, precisa haver uma explicação para que exista.
2. Temporal: afirma que deve ter havido um ponto no tempo em que o universo começou a existir e essa existência tem de ter sido causada por algo exterior ao universo, que é Deus.

Argumento teleológico

O argumento teleológico, que também é chamado de design inteligente, afirma que, como há ordem no mundo e no universo, a criação da vida foi realizada por um ser que tinha em mente esse propósito específico.

MILAGRES

Em filosofia da religião existe muita discussão sobre o que pode, ou não, ser considerado um milagre. Ao falar sobre milagres, os filósofos referem-se a eventos inusuais e que não podem ser explicados por causas naturais. De acordo com alguns filósofos, dessa forma, esses eventos têm de ser resultado de uma divindade.

David Hume rejeitava a noção de milagres, chamando-os de "violações das leis da natureza". Argumentava que a única evidência para apoiar um milagre eram as testemunhas, enquanto as evidências para apoiar as leis da natureza eram colhidas pela experiência uniforme das pessoas ao longo dos tempos. Assim, o testemunho dos milagres precisa ser mais forte do que o apoio às leis da natureza e, como não há evidência para uma comprovação, não é razoável acreditar que esse tipo de violação das leis da natureza possa ocorrer.

Outros levantaram objeção ao argumento de Hume, alegando que os milagres não são violações das leis da natureza. Esses filósofos da religião afirmam que as leis da natureza descrevem o que é mais provável de ocorrer em condições específicas e, assim, os milagres são a exceção nos processos usuais. Argumentam ainda que Hume tinha uma compreensão inadequada de probabilidades e que observar a frequência com que um evento ocorre não é suficiente para determinar a sua probabilidade.

Este livro foi impresso pela gráfica Rettec em papel offset 75 g em fevereiro de 2024.